KB100327

쿠키 영상은 작가의 말

목차

여는 말

소설과 영화의 가장 큰 차이점은 무엇일까. 소설은 활자로, 영화는 영상으로 남는다는 것일 테다. 하지만 시각적인 이미지가 강렬하게 다가오는 소설이 있는가 하면, 인물의 대사가 종이에 쓰인 활자처럼 느껴지는 영화도 있다. 그런 작품들은 '영화 같은 소설'인가, 아니면 '소설 같은 영화'인가? 혹은 둘 중 그 무엇도 아닌가? 『쿠키 영상은 작가의 말』은 그 경계에 대한 질문을 던지기 위해 시작되었다.

우리의 작업 속에서 영화는 누군가에게 최초의 순간을 가져다주기도, 새로운 세계로 가는 입구를 열어주기도 한다. 그런가 하면 어떤 영화는 우리가 발을 붙이고 살아가는 이 세계와 다름없기에, 지루하고 식상한 로맨스를 함축하기도 한다. 또 다른 영화는 한 사람의 거창한 꿈이자 도전이 되기도 하는데, 이 사실을 받아들이는 주변인들의 반응은 각양각색이다. 어떤 이는 꿈에서 깨어나라며 일갈하고, 다른 이는 그런 모습을 매력으로 받아들인다. 영화를 향한 여정을 떠났던 이들의 도착점이 모두 영화가 되는 것은 아니다. 세월의 흐름을 이기지 못하고 경로에서 이탈하는 사람이 있는가 하면, 아주 오랜 시간 헤매다 다시 출발점에 서는 사람도 있다. 이렇게 많은 이들의 삶이, 영화라는 한 단어 안에 담겨 있다.

이 책에 실린 일곱 편의 작품은 소설과 영화의 경계를 공고히 다질 수도, 허물 수도 있다. 어느 쪽을 향하고 있는지에 대한 판단은 읽는 이에게 맡기려고 한다. 중요한 것은 그 경계를 넘나들기 위한 우리의 여정이 이미 시작되었다는 사실일 테니까. 이 책을 받아 드는 이들이 그 경계를 맘껏 헤매고 탐험할 수 있길 바란다.

2023년 초여름
긴 여정의 시작과 함께하며
소예진

김윤아

순간순간
애정할 때

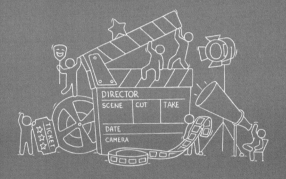

쿠키 영상

언젠가 내가 아주 깊이 정애를 사랑했던 적이 있다. 정애와 내가 열여덟이었을 때의 일이었다. 정애의 이름 뜻을 따져보았을 때 정애를 애정하는 것은 아주 지극히도 당연한 일로 보였다. 나는 어느 날에 베개를 베고 누워서 정애를 어떻게 사랑하지 않을 수가 있는지에 대해 생각을 해보기도 했다. 정애의 이름을 지은 모친, 부친, 조부모거나 철학관이나 스님 같은 어떤 모종의 대상이 배싯배싯 웃고 있거나 찡찡 울고 있을 신생아에게, 너는 사랑을 받아야 하는 사람이다, 너는 사랑을 받을 것이다, 는 다짐을 불어넣은 이름을 지어주었을 것이다. 그리고 어떤 인연의 실이 작동해서 나는 정애를 만나서 정애를 사랑하게 되었고……

열여덟의 나는 정애의 이름 뜻을 하나하나 따져보면서 그의 이름 중 어떠한 부분이 내가 그녀를 사랑할 수밖에 없게 만들었을까, 하는 낭만적인 생각에 빠져들고는 했다.

그로부터 시간이 흘러 내가 성인이 되었을 시점에 나는 정애란 이름에 대해 다시 생각해 보게 되었는데, 그녀의 이름 중 애라는 글자가 사랑 애 자일까, 하는 궁금증이 들었기 때문이다. 사랑 애 자는 이름에는 쓰면 좋지 않을 불용의 한자. 애를 이름에 품은 사람들은 비애에 빠지기 쉽다고 했다. 나는 정애의 이름이 어떤 한자를 따라 쓰는지는 몰랐지만, 정애가 자기의 이름은 쉽게 지어졌다고 한 것은 기억했다. 언니의 이름과 오빠의 이름을 한 글자씩 따서 합친 이름이 정애의 이름. 내가 상상했던 다짐은 깃들어져 있는 게 맞을까.

실은 정애는 제대로 사랑받은 적이 없었을지도.

열여덟의 나는 정애를 올바르게, 아주 깊이 사랑하기 위해 노력했다. 어느 순간부터 나는 정애에 대한 많은 것을 알고 있다고 자신하게 되었는데, 정애가 싫어하는 것, 정애가 먹지 않는 것, 정애가 힘들어하는 것, 그런 것들은 정애의 젓가락이 가는 곳과 정애의 미간이 찌푸려지는 순간들을 눈여겨 쳐다보면서 몸으로 익혀온 결과였다. 다만 정애가 좋아하는 것은 물어서 알게 되었다. 정애는 미간을 찌푸릴 줄은 알아도 눈을 순순히 휘어 보이지는 않는 사람이었기 때문이다. 나는 용기를 내어 너는 뭘 좋아해? 어머 너무 터무니없게 들렸나, 아니 평소에는 뭘 하고 시간을 보내? 하고 말을 걸었다. 정애는 순순히, 그리고 어딘지 조금 기뻐 보이는 얼굴로 자신이 좋아하는 것에 대해서 말해주었다.

그렇게 얻은 정애에 대한 정보 일흔다섯 번째.

정애는 영어를 쓰는 나라들에서 생산되어 나왔던 틴에이저 로맨틱 코미디 장르의 드라마나 영화를 즐겨보았다. 생산이라고 해도 좋을 만큼 그들은 엇비슷한 이야기를 만들어내는데 정애는 그런 부류의 영화들은 수많아도 타격이 있는, 그러니까 '타탓'하고 정애의 마음속을 뚫는 영화들은 조금이라고 말하고는 했다. 서로를 마주 보고 싸우고 입을 맞추고 포옹을 하는 장면을 그려내는데 그 장면에 어떠한 의구심도 들지 않게 하는 것, 정애의 말을 그대로 옮기자면 그 조금의 차이가 비슷한 내용의 영화를 아주 다른 것으로 만드는 레벨의 새로운 키의 레벨. 나는 그날 정애가 '좋다'라고 말한 대상들을 하나하나 머릿속으로 놓고 배열해 보다가 정애가 좋아하는 것이 너무나도 궁금해져서 영화들을 찾아보았다.

한 마디로 다시 정리하자면, 나는 정애를 사랑해서 영화를 찾아보았다. 정애가 보는 영화들을 볼 때 나는 정애가 생각났다. 정애가 보는 영화 속의 주인공들이 나열해 가는 문장들에서 낯선 이름들을 지우고 정애를 넣어보는 일도 했다.

새침한 나의 정애, 아름다운 나의 정애, 귀여운 나의 정애. 화내는 게 미운 나의 정애.

내 마음을 오-오-온-통 빼앗아 가 버린 나의 정애.

그러다가 이게 정애에게 결례라는 것을 깨닫고 정애의 얼굴과 정애의 이름을 영화 속의 장면마다 넣어보는 일은 그만두기로 했다.

열여덟 한 해를 정애가 좋아하는 것을 나도 좋아하기 위해서 노력하며 썼다. 그런 나의 노력을 기민하게 알아차려 주었던 첫 번째 사람은 아쉽게도 정애가 아니라 우리들의 담임 선생님이었다. 그 선생님은 우리가 입학한 사립학교에서 삼십 대의 전부를 일한 선생님으로 가끔 우리에게 '너희는 3년이 지나면 졸업하지, 나는 졸업도 없다. 늘 학교에 있다.'라고 어떤 웃음을 자아내는 자조적인 투로 이야기를 했다. 가끔은 무겁고 어둡고 도무지 이해가 수월히 되지 않는 이야기들을 해주었다. 교실의 반투명한 창으로는 햇빛이 환하게 들어오고 아이들은 소란스러운 그런 교실의 가운데에서 말이다. 이를테면, 본인이 초임 시절 가르쳤던 어떤 아이는 기찻길 옆에 살았는데, 걔의 몸이 좀 작고 가볍기는 했었는데, 걔가 기차 옆에서 바람에 휙 하고 날아올라 죽음을 맞았다는 이야기. 어떤 날에는 유년 시절 축사에서 키우던 동물이 죽어가는 모든 순간을 기억이라도 해야 할 것 같아서, 눈을 깜박이지 않으려 노력하며 처음으로 누군가의 죽음을 기려보았던 이야기 같은 것, 분명 그 이야기들에는 어떤 목적이 있었다. 전자의 경우에는 그러니까 늘, 주변을 살피면서 사고를

예방할 수 있도록 하자, 후자의 경우는 생명을 소중히 해야 한다는 메시지를 전달하기 위한 이야기였다. 그런데 말을 하는 선생님의 목소리는 늘 내려앉아 있었고 장면들은 지나치게 생생하게 그려졌다. 그러니까 그 당시의 시선으로 보기에는 어딘가 '무섭다' 혹은 '뭐야'라는 생각이 다였을 뿐이지만, 지금 그 장면들을 곰곰이 되짚어 본다면 선생님의 모습은 어딘가, 어두컴컴한 다른 세계의 이야기를 전달해 주기 위해 잠시 어떤 문을 통과해 넘어온 사람 같았지, 하고 설명할 수 있을 것이다. 그때에도 선생님의 이야기는 몇몇 애들의 심금을 건드렸다. 어떤 애들은 허억하고 큰 소리를 내거나 쌤 뭐예요 하는 느슨한 목소리로 이야기를 멈추기도 했는데, 그때가 되면 선생님은 그제야 그 세계에서 깨어난 듯이, 우리를 보고, 자, 이야기가 너무 멀리까지 갔네, 이제 다시 하던 이야기로 돌아가자, 하고는 숨을 크게 들이쉬고는 했다. 선생님은 나에게 그런 인상을 남긴 사람이었는데, 어느 날에 선생님은 나에게 너는 영화 참 좋아하는 모양이더라, 하고 말을 걸었다.

애, 있잖아. 영화 볼 때 생각을 하지 말고도 보고 생각을 하면서도 봐봐. 여러 번 봐봐. 시간 차도 두고 보렴. 같은 이야기를 보면서 다른 것들을 생각할 수 있어야 해.

공교롭게도 선생님은 내가 정애를 사랑하고 있다는 것을

깨닫게 해준 사람이기도 했는데, 선생님이 수업 시간 도중에 틀어주었던 짧은 영화의 장면을 보자마자 아, 이건 정애가 좋아할 만한 영화다, 하고 생각이 났고 이 영화에 관한 이야기로 정애의 시선과 관심과 목소리와 마음을 잠시나마 붙잡을 생각에 가슴이 온통 들뜨고 있다는 것을 알게 되었기 때문이다. 정반대의 방향에 놓을 수 있을 법한 순간은 열아홉이 되어서야 찾아왔다. 정애가 좋아하는 영화의 계열에 들 법한 영화를 골라 끝까지 보았을 때, 나는 처음으로 영화 속의 장면에 질문을 던졌다. 이건 역사적인 순간이었고 최초의 순간이었다. 나는 정애를 덧입히지 않고서, 그저 영화 속을 헤엄치며 여자 주인공이 남자 주인공을 사랑하지 않을 수 있는 가능성에 대해 고려하고 있었다. 그때 나는 선생의 말을 떠올릴 수밖에 없었으며 어떤 최초의 순간에 대해 고심해 보게 되었다. 최초의 순간.

난생처음으로 경험한 공포의 순간, 주저의 순간, 망설임의 순간, 이 글을 읽는 당신은 최초의 순간이라는 말 앞에서 무엇을 떠올릴 수 있을까?

나에게 그 질문은 곧장 정애란 이름으로 연결되고는 한다.

스물다섯 살이 되었을 때 나는 두 번째로 최초의 순간 –
이라는 것을 경험한다. 그것은 만복을 통해서인데, 만복을
이야기하기 전에 스물다섯의 내가 무엇을 하고 있었는지를
간략히 보고하자면, 나는 그맘때에 동네의 낡은 DVD방에서
아르바이트 자리를 구하게 되었다.

DVD방이 있는 마을은 이제는 그 누구도 선뜻 입학하지
않는 대학교 캠퍼스 하나와 그곳에 오가는 사람들에 의해
상권이 돌아가는 작은 마을로, 나의 고향이었다. 나는 고향
이 좋았고 고향에 있는 낯익은 사람들은 싫었다. 밖에 나갈
때면 모자를 푹 눌러 쓰고, 나왔던 학교 앞을 지나갈 때나 저
멀리서 나의 또래로 보이는 청년들, 익숙한 이목구비를 가진
것 같은 사람들, 그런 사람들이 있을 때는 발을 재빠르게 움
직였다.

DVD방은 그런 나에게 나쁘지 않은 아르바이트 자리였
다. 내가 피하고 싶었던, 그러니까 스물다섯이 되어 고향에
다시 돌아와 아르바이트를 전전하는 모습을 바라보고 평가
할 내 과거의 지인들, 은 결코 찾아오지 않을 낡고 허름한
DVD방. 손님들의 폭은 넓지 않아서 대개는 같은 사람들이
찾아왔다. 동네의 작은 DVD방을 찾는 외지인들도 드물었다.
DVD방을 찾는 손님 중 다수는 나를 DVD방 카운터 안에 고
정된 의자와도 같은 존재로 바라보는 것도 같았지만, 나는

사실 그들을 동네의 많은 곳에서 본 적이 있다. 그들은 시장에도 갔고, 마트에도 갔고, 학원가의 골목에서 담배를 피우는 모습이 보이기도 했으며, 공원에서 운동기구에 올라타 의미 없이 다리를 흔들어 대고 있기도 했다. 그런 모습들을 홀로만 알아보고 있었다. NPC도 아니고.

그때 내가 가장 즐긴 것은 DVD방 문을 잠그고 나오면 보이는 편의점 앞 골목에서 담배를 피우고 담배 냄새를 빼기 위해 적당히 걸어 집에 가는 일련의 루틴이었다. 중간중간 곁들이는 고민도 중요하지. 과거와 현재와 미래의 내가 혼재된 듯한 하루들을 살아가고 있었다. 나를 마을의 구성원으로 기능하게 하는 것은 과거에 배웠던 것들이었다. 컴퓨터 프로그램을 조작하는 방법이라거나, 머리 모양을 만드는 기술을 익힌 덕에 무언가를 솜씨 있게 정리하고 맵시 있게 다듬을 수 있었다. 그 무언가는 DVD방에 아르바이트 자리를 구하게 되면서부터 자연히 DVD와 휴지, 청소도구 같은 것들이 되었고 그 와중에, DVD방에서 아르바이트를 그만두고 무언가 새로운 일을 해나가는 나중을 상상해 갔다. 과거를 생각했을 때엔 감사했으며 현재를 생각할 때엔 과거가 미워졌고 미래를 생각할 때엔 현재가 미워졌다. 더 막막한 것은 지금 나를 답답하게 하는 것이 지극히 현실적인 고민이라는 것이었다. 나 혼자만 특별한 고민을 안고 사는 것도 아니고, 그 누구든지 해왔고, 하는 고민이라는 것. 그 사실은 나를 정말 지독하게도 평범하게 만들었다.

DVD방에 찾아오는 손님들의 대부분은 연인들이었다. DVD방의 사장은 이런 흐름에 발맞추어 담요를 좋은 것으로 구매하고 DVD방의 바닥을 푹신한 쿠션 식으로 변경했다. 매뉴얼도 새로 생겼다. 손님들이 들어오면 불은 끄고 문은 닫고 라운지의 노래는 늘 조금 크게 틀어야 한다. 때로는 어린 여자애의 손을 잡고 중년의 남자가 찾아와 상영시간이 가장 긴 영화를 찾는다고 넌지시 말했다.

120분이 넘으면 추가 요금을 받아요, 그래도 더 긴 영화를 추천해 드릴까요?

나는 늘 상영시간 118분의 로마의 휴일을 그들에게 골라 주었다.

가끔은 어떤 여자와 여자로 보이는 사람들이 손을 맞잡지 않은 채로 문을 열고 들어왔다. 여자들은 방자전을 고르거나 색정 남녀를 고르거나…. 웃겨 정말. 여자들은 보통 흔적을 남기지 않았고 나는 그 여자들이 나의 일거리를 늘려주지 않는 점이 좋았다.

같은 아르바이트생으로 있던 성과는 술을 종종 마셨다. 내가 수많은 영화 사이에서 일하는 천혜의 환경에서도 영화를 단 한 편도 보지 않는 것이 신기하다고 했다. 성은 영화

제작을 꿈꾸는 예술 지망러(본인이 칭하기로는)로, 진로와 관련하여 별일은 하지 않는 듯했고 희망찬 미래는 꿈꾸는 듯했고 담배는 자주 피우는 듯했다. 우리는 어느 정도의 공감대를 찾아 (백수라는), 우리를 잠시 도망가게 해줄, 동시에 조금 평범해 보이게 해줄, 둘만의 술자리를 가끔 마련하기로 했다.

성은 내가 정애를 다시 떠올리게 만든 사람 중 하나였는데, 성과 술을 마실 때 성은 자주 어떤 후배에 관해 이야기를 했다. 성은 대학을 겨우 졸업하고 이런저런 공모전을 준비하며 허송세월하는 사이 후배는 너무 빛이 나게도 잘해 내고 있어서, 그래 너는 빛이 나라, 하고 가만 지켜보는 식으로 구현되는 사랑을⋯ 하고 있었는데, 나는 이야기를 할 사랑도 사람도 없어서 술만 조용히 마시다가 어느 날은 크게 싸웠다. 술을 조용히 마시면서 들어왔던 이야기들에 어떤 패턴이 존재하고 그 패턴 속에서 성은 늘 치졸했고, 소심했으며, 바보 같았고, 저열했다. 나는 그것에 대해 조곤조곤 이야기하다가 결국 언성을 높였으며 성은 그냥 쿵쿵거리며 울었다.

맞아, 걔는 날 생각조차 하지 않을 텐데 내가 여기서 이렇게까지 말을 아직도 하고 있는 건 그래, 내가 걔한테 할 수 있는 제일 못된 짓이라서 아직도⋯.

나는 여전히 성의 그 미적지근한 답변이 올바른 것이라 생각하지는 않았으나 성이 쿵쿵거리며 우는 모습 자체가 보기 싫어서 그에게 술이나 해요, 하고 잔을 들었고, 잔이 오가다가 나는 문득 정애를 떠올리게 되었다. 그러게, 나는 깊이깊이 정애를 사랑했었다.

성은 그 이야기를 마음에 들어 했고(나는 그 이야기가 성과 나의 공감대 형성에 아주 크게 이바지했다고 생각한다) 나는 그날에, 정애의 이름을 남성적인 이름으로 변경하고 정애의 모습도 내가 사랑에 빠질 수밖에 없는 모습으로, 혹은 내가 실망을 느낄 수밖에 없었던 모습으로 약간의 보정을 거듭해 바꾸어 가며 이야기를 했다. 정애의 이야기를 하면 할수록 정애를 사랑했던 것은 과거의 일이라는 것이 확실해져 갔다. 나는 그날 정애의 이야기를 하다가 성에게 물었다.

성, 성은 그 후배분을 좋아하고 있다는 걸 언제 알게 되었어요?

엄, 음, 걔는 스토리가 어김없이 잔인한 곳으로 향하는 영화들을 그렇게 좋아했는데, 그런 류의 영화 속 사람들은 뛰잖아. 막 도망을 가고 그러다가 죽고 누군가는 대의를 위해 몸을 던지고. 그런데 걔는 크레딧이 올라가면 항상 웃었어. 웃었다고, 상상이 가? 하루는 물어봤어. 너는 이런 영화를 왜 보니? 왜 그렇게 웃는 거야?

걔가 말하기를 말이야, 선배, 크레딧이 올라가면 내가 지금 앉아있는 곳이 느껴져요. 폭신하고 편안해요. 영화 속

세계와 너무나도 다른 것이라서 나는 웃어요.

나는 그때 처음으로 걔가 무서웠어.

그래서, 나는 내가 걔를 아주 크게 생각하고 있다는 걸 알았지.

성은 그로부터 3주 정도가 지나 본인이 공모전에 당선되었으며 그 상금으로 단편 영화를 제작할 크루를 꾸리기 시작할 것이라는 소식을 전해주었다. 나는 그를 진심으로 축하해 주었다. 성은 꿈에 조금씩 가까워지고 있던 걸까? 하여튼간에 DVD방 카운터에 있는 아르바이트생은 둘에서 하나로 줄게 되었고 사장은 새로운 사람을 구하지 않았다. 일이 크게 많게 느껴지지는 않아 그저 그대로 지냈다.

만복이 찾아온 것은 그 이후의 일이다. 만복은 색이 크게 두드러지지 않는 옷의 조합이나 변하지 않고 고정된 표정이 어떤 인상을 남기는 사람이었는데, 만복은 DVD방에 들어와 차분히 성에 관해 물었다.

걔는 어디로 갔습니까?

그만두었는데요.

우리 아들놈이에요. 어디로 갔는지, 식탁에 편지 하나 놓고 모든 짐을 싸서 나갔습디다. 일하러 간다고 했어요.

만복은 그 자리에 주저앉았다. 그러면서 속삭이듯 한탄

하기를, 그놈이 나의 유일한 아들인데 돈도 못 버는 일, 지가 잘하지도 못하는 일 계속하겠다고 몇 년을 쏘다니다가, 그동안 말도 안 하고 살았는데도, 제 어미 얼굴은 한 번도 보지도 않고, 계속 고집에 똥고집을 부리다가 결국 나갔다고. 나는 성의 모습을 만복의 묘사와 조금씩 겹쳐 보며 고개를 몇 번 끄덕여 주었다. 만복은 그날 한참을 주저앉아 속삭이다가 문을 열고 들어오는 손님들의 발에 밀려 겨우 집으로 돌아갔다. 그녀가 다시 찾아온 것은 사흘 뒤의 이야기. 그녀는 다시 찾아와 손을 가지런히 모은 채로 영화를 골라줄 수 있겠냐고 물었다. 여전히 만복은 섞여 나오는 한숨을 멈추지 못하는 듯하였으나 그녀는 어떤 다짐을 한 듯 보였다.

못난 놈 떡 하나 더 준다고 하지 않습니까?

남들이 말하는 걸 들으면 난 분명 못나고 못난 앤데 떡 주는 놈이 없습디다.

만복은 떡 하나도 받지 못한 삶을 살았지만, 떡두꺼비 같은 아들을 낳았고 그 덕분에 두 달간은 사랑을 받았다. 부엌일에서 잠시 면제되는 방식으로 표출되는 사랑이었다. 만복이 DVD방에 다시 찾아온 것은 그런 배경을 가지고 있기 때문이었다. 아들을 낳아서 사랑받았다. 그 사랑이 아들에게 옮아갔다. 만복은 아들을, 그러니까 자연스레 엄마라면 그래야만 한다고 주변에서 말하는 것보다도 더더더더더,

더 사랑했다. 유별나다고 할 만큼. 영화감독이니 PD니 이름도 어려운 걸 하겠다고 집을 나간 아들의 세계를 이해해 보겠다고 만복은 DVD방에 다시 발을 들였다. 나는 만복이 아들을 사랑하는 것을 이해했다.

그러니까 아가씨. 내가 볼 만한 영화를 좀 추천해 줘요.

그렇지만 할머니, 추천해 드리려고 하니 무엇을 추천해 드려야 할지 잘 모르겠네요.

아가씨가 제일 좋아하는 영화라도 뭐, 젊은 청년들이 좋아하는 거요.

내가 골라준 영화는 악마는 프라다를 입는다, 였다. 별다른 이유는 없었으며 그저 젊은 청년들이 좋아해 왔던 영화였기 때문이었다. 만복은 그 영화를 싫어했다.

만복은 주기적으로 찾아왔으며 나는 청년들이 좋아해왔던 영화들을 몇 개 골라 그녀에게 들려주었다. 내가 생각할 수 있는 영화들이 바닥이 날 때 즈음 밝고 상큼하고 귀여운 정애의 영화들을 떠올리게 되었다. 정애만큼 나에게 젊은, 트렌디한, 청년으로 각인되었던 사람은 없었으며 정애로인해 내가 보게 되었던 영화들은 전부, 청년인 내가 보았던 영화들이었기 때문이다.

그 순간들을 복기해 보자.

정애는 빛이 나오는 영화를 찾아본다. 이불을 덮고 어둠만이 있는 방에서 그 영화들을 켜면, 화면에서 나오는 빛이 너무도 강렬해서 그냥 찔끔 눈을 감아버리고 싶은 그런 밝은색의 영화들. 정애가 고른 영화들은 그런 낮의 색만이 가득하다. 대개 빛은 소리와 함께해서 정애의 영화들은 웅성거리는 소리와 시끄러운 웃음소리와 입술이 부닥치는 소리가 왕왕 울려 퍼진다.

나는 그런 영화들을 만복이 보아도 좋을까, 싶었지만 그것 중 몇몇을 골라서 만복에게 보여주기로 했다. 한국 영화도 몇 골랐는데 만복은 내가 고른 DVD들을 몇 번 들추어 보더니 한국 것은 싫다고 잘라 말했다.

왜요?

한국 영화는 나와 말이 통하는 게 싫고 그래요.

만복이 머리가 좀 길고 험악하게 생긴 남자가 눈이 얄쌍하고 날카로운 여자를 꼬시는 영화를 골라 DVD방 안에서 관람하고 있을 때 나는 컵라면들을 상자에서 뜯어 진열대에 넣어놓고 육개장 사발을 꺼내 물을 부었다. 휴대폰 전원을 켜다가 말고 성이 작성해 둔 목록 하나를 찾았다. 그건 성이 본인이 보고 싶은 영화들과 DVD방이 보유하고 있는 영화들을 대조한 목록 중 하나로 내가 고른 영화보다야 더 성의 취향일 것이며 그것은 만복이 원하는 바일 것이다. 나는 그중 나에게 익숙한 이름의 영화를 몇몇 추려 놓기로 했다. 그중 하나는 '에로한' 영화로 유명한 영화. 나는 그 DVD를 가만히 쳐다보다가 그것을 챙겨서 집에 가져오기로 했다. 만복은 그날 자그만 투덜거림과 함께 ("영 정신 사나운데?") DVD방을 나갔고 그래도 내일도 올게요, 하는 인사를 남겼다. 만복은 시금치가 담긴 까만 비닐봉지를 카운터 위에 뒀다. 나는 시금치 봉지 안에 DVD를 넣어 집에 왔다.

플레이어가 없다는 것을 깨달은 건 밤이었다. 나는 정갈히 모든 것을 바닥에 배열해 놓고 그것을 보다가 침대에 가만히 드러누웠다. 팬티 위를 눌렀다. 꾸욱꾸욱 팬티 위를 누르면서 나는 DVD방에 오는 사람들을 생각했다. 그 사람들은 누구도 보지 않는 방 안에서 어떤 해방감으로 서로를 만지는 걸까? 입을 조금 벌려 아하, 아아, 하는 소리를 내보았다. 여자의 자위는 품이 꽤 많이 드는 작업이다. 꾸욱 누르던 손으로 빠르게 비벼대다가, 아, 아, 아! 하고 소리를 내보다가, 아무래도 꼴리지 않아서 손을 다시 제자리로 두었다.

상체를 까 벗은 채로 DVD 표지 속에 있는 사람들, 시금치 한 봉다리, 그냥 저린 손목.

나는 저 DVD를 만복에게 보여주는 상상을 했다. 만복은 노년기에 접어든 여성이고 섹스라는 단어는 쉽게 어울리지 않아 보였다. 에로와 할머니, 할머니와 섹스, 그런 것은 아무래도 조금 이상하다.

인생의 어떤 지점을 지난 여성들에게 성을 캐묻는다는 것은 너무 부자연스럽고도 죄송스럽기까지 할 일이다. 할머니들, 혹은 엄마들은 이 성의 세계에서 보호해야 할 넘버원의 대상이다. 그녀들에게는 포르노가 어울리지 않으니까.

나는 그래서 만복을 위한 큐레이션을 완성하는 데에 꽤 많은 시간을 들여야만 했다. 그러니까 이제는 정애의 영화들이 아니라 성의 영화와 나의 영화로 뒤섞인 목록들. 나는 만복에게 무언가를 가르쳐 주는 것에 재미를 느끼고 있었다. 그로부터 얼마 지나지 않은 날에 나는 만복이 영화를 보고 있는 것을 가만히 보다가 말을 처음으로 얹어보았다.

저 배우요, 되게 유명해요. 감독도 엄청 유명해요. 보신 것 중에 이 감독 거가 여러 개예요.

만복은 그래요? 하면서 고개를 끄덕이더니 조금 더 유심히 영화를 보려 하는 눈치였다. 나는 만복의 그런 모습에 무언가 으쓱해져서, 다음으로 보시면 좋을 것 같은 영화가 생각이 났어요, 하고 말해주었다.

그날 만복은 나의 퇴근 시간이 곧이라는 말을 듣고 나를 기다렸다가 같이 나가고 싶다고 했다. 만복은 나와 공원을 걸으며 아들놈, 그러니까 성이 어떻게 지내는지를 알고 싶어했다. 그렇지만 할 말이 없어서, 나는 비슷한 조언이나 남겨 주었다.

멋대로 하게 두세요. 돌아오겠죠.

지금 생각해 보면 아주 작은 일로 생각되지만, 언젠가 정애가 학교에 전자사전을 가져왔었던 일이 있다. 중간중간 몰래 볼 수 있는 텍스트와 들을 수 있는 노래 파일들을 내려받은 전자사전. 정애는 그 전자사전을 가져올 수 있었던 경위에 관해 설명해 주었다. 정애의 오빠가 이 새로운 전자사전을 공부의 목적으로 쓸 것을 약속받고 선물 받았는데 한동안 애지중지하더니 어느 날 아침부터 전자사전을 책상 위에 두고 등교하는 날이 잦아졌다고 했다. 정애는 그날에 대범히 오빠가 두고 간 전자사전을 집어서 학교에 왔다. 정애는 그날 오빠가 전자사전에 담아 보고 있었던 야한 동영상을 보게 되었고 그것을 반의 모든 아이에게 공유해 주었다. 그날 나는 정애가 알게 되었다고 말한 것들에 처음 들어 놀란 사람의 시늉을 하느라 갖은 애를 썼다.

문제가 생긴 것은 그 전자사전을 담임 선생님에게 들켜

잠시 압수되었던 때다. 정애가 굳이 전자사전을 들고 다녔던 이유는 책상 위에 있더라도 수상해 보이지 않는 – 동영상 플레이어는 그것이 유일했기 때문이었다. 다만 쉬는 시간마다 '밝히는' 여자애들이 정애의 책상 주변으로 몰려들어 소란을 피웠고 소란의 근거지였던 정애는 크게 혼났다. 정애의 부모님은 정애가 가져왔다는 전자사전이 그녀의 오빠 것임을 알고 조금 웃다가, 정애의 경거망동함을 잠시 지적하고 말았고, 그 사이에 자초지종을 알아차린 정애의 오빠는 정애의 머리채를 뜯어버릴 기세로 달려들어 화를 냈다. 정애는 그런 오빠의 모습을 '다 지가 쪽팔려서 그러는 것'이라고 갈음했다. 사실 그 일은 나에게는 작은 것으로 기억되나 정애에게는 큼직한 계기로 작용했는데, 그로부터 정애는 자기 속에 있던 어떤 벽 하나를 깨부순 듯이 행동하기 시작했다. 그러니까 정애가 하는 말들은 조금 험해지기 시작했고, 화장실 벽에 그려진 몇몇 음란한 낙서들을 지나치지 않고 웃기도 했다. 그러니까 그것을 '이해한다.'라는 듯이 말이다. 나는 그 모습을 그저 지켜보았는데 어느 날에는 정애가 조금 멀게 느껴지기도 하고 어느 날에는 정애가 아주 낯선 이로 느껴지기도 하고 어느 날에는 정애가 그냥, 그 자체로 완전해 보이기도 했다.

그리고 그 이후의 정애가 생각나지 않았다.

나는 고등학교를 졸업하자마자 서울로 자리를 옮겼고

정애는 고향에 남은 것으로 들었다. 우리는 마지막에 싸락눈이 쌓인 놀이터에서 그네를 느리게 타며 팩 소주를 쪽쪽 빨아 마시는 만남을 가졌고 우리들의 희망찬 미래를 기뻐하며 상상했던 것보다는 조금 다른 현재의 날들에 탄식했다. 그런데 그 이후에 어떻게 되었지? 그 이후에.

내가 스물두 살이 되었을 때 조금 충동적으로 정애의 연락처가 남아있는지 확인하고 그 연락처로 전화를 걸었던 기억이 있다. 전화를 걸었는데 전화음이 제대로 가지 않아 끊었다가 아, 이거 별일이 아니네, 싶어서 다시 한번 전화를 걸었었다. 두 번째 시도에서는 남자가 전화를 받았는데, 그때 나는 깜짝 놀라서 전화를 끊었었다. 생각해 보면, 내가 정애에게 무슨 이야기를 할 수 있었을까.

나는 휴대폰을 만지작거리다가 성에게 전화를 걸었다. 성은 몇 번의 신호음 끝에 전화를 받았고 요즘 어머니가 찾아온다는 말에 호들갑을 떨었다.

나는 성에게 나 지금 되게 노멀한 술자리에 가고 싶어요, 하고 말했고 성은 그럼 술이나 마시러 오라고 권했다. 나는 성이 구했다는 고시텔 안에서 얇은 벽을 신경 쓰며 소리를 최대한 죽여가며 종이컵에 따른 소주를 마셨다.

어머니가 계속 오던데요.

엄마는 왜 또 거기에 갈까? 웃겨 진짜.

어머니한테 연락은 안 드리는 거예요?

잘 되면 떳떳하게 드려야지, 연락. 그래서 너는 어떻게 지냈어?

나는 그 순간, 참지 못하고 성에게 어떤 말을 뱉었다.

저는 뭐. 어머니랑 자주 만났어요.

우리 엄마랑 뭘?

영화 보고 싶으시다고 하셔서 영화 좀 추천해 드리고. 수다 조금 같이 떨어드리고.

엄청 고맙네.

성은요?

나는 일이 생각보다 안 풀려.

그럼 뭐 하고 지내요?

그냥 아는 사람들이 소개해 주는 모든 현장 일들 나가서 돈 벌고 하루 먹고 하루 일하고 하루 즐겁고.

그런데 성, 이제는 후배 이야기 안 하시네요.

성은 그곳에서 무언가를 깨달은 표정을 했다. 우리는 자연스럽게 고시텔 좁은 침대에 벌러덩 누웠고 닿은 살의 면적이 얼마나 넓던 신경을 쓰지 않았다. 성이 내 손을 잡고 고개를 가까이 가져왔다. 소주 냄새가 풍겨오는 게 성 입인지 내 입인지 헷갈릴 만큼의 거리에서 말이 흘러나왔다.

성, 내가 시도는 할 수 있는데요.

응.

그런데요. 진짜 아무래도요, 아무래도, 그냥, 꼴리지가 않아요.

나는 그 말을 뱉자마자 놀랍도록 냉정해질 수 있었다. 나는 몸을 일으켰고 성도 몸을 한 번 웅크리더니 반쯤 몸을 일으켰다.

너 가야겠다.

가야죠.

나는 돌돌 말아두었던 양말 같은 것들을 가방에 대충 넣고 신발을 신었다. 성은 추리닝 바지를 적당히 올려 입은 채로 나를 배웅해 주었다.

엄마 있잖아. 버거우면 누나들한테 전화해. 엄마 여기 계시다고. 누나들이 모시고 살아. 올 거야.

누나가 있어요?

셋.

왜 한 번도 말을 안 했대.

번호 줄까?

아니, 뭐 괜찮은데.

혹시 모르니까 그래도 받아가. 엄마가 옛날 사람이라 나도 불안해서 그러지.

성, 그런데 후배 이야기 안 한다는 거 있잖아요. 저 때문이에요?

성은 잠시 고민하다가 고개를 저어 보였다.

그냥 이제는 말해야겠다, 는 생각이 자주 들지 않더라.

정애 있잖아요.

정애?

나는 그때 내가 한 번도 성에게 정애에 대한 사실을 곧이 곧대로 말한 적이 없다는 사실을 깨달았다. 지금까지 계속하여 나는 정애는 정애가 아닌 것으로 말해왔던 것. 나는 아니에요, 갈게요, 하고 성의 집을 나왔고 길거리를 돌아다니며 사람들의 얼굴을 주의 깊게 쳐다보았다. 고개를 박고 지나가지도 않고, 아는 얼굴이다 싶으면 피하지도 않고서 사람들을 쭈욱, 쳐다보았다.

그런데 누구를 찾고 싶은 걸까.

성에게 번호 하나가 담긴 문자가 왔다. 자신의 근황을 행여나 물어본다면 그저 '잘 산다'로 축약하여 전달해달라는 당부와 함께였다.

성을 다시 볼 날이 있을까.

솔직히 말하자면, 나는 정애가 어떤 – 본인 속의 경계 하나를 해체한 그 순간 – 정애가 그토록 무서웠던 적이 없었다. 내가 알아 왔던 모든 정애로부터 탈피한 듯한 그 모습이, 그러니까 그 모습의 계기가 어떤 성적인 코드에 대한 깨우침이었다는 것은 웃음이 나긴 하지만 - 해맑은 나의 정애, 나의 열여덟이었던 정애.

갖가지 소음들로 가득 찬 나의 스물다섯.

니는 길거리에서 정애도, 성도 마주치지 않았다. 다만 어머, 너 그, 우리 딸 동창 아니니, 하는 수선스러운 중년의 여성 한 명을 마주쳤다. 그 만남은 몹시도 우연하고, 몹시도 대수롭지 않아서 나는 그저 하하 자그만 웃음을 지으면서 안녕하셨어요, 하고 말았다. 나는 그 대수롭지 않음-에 빠르게 적응했고, 그 적응은 나에게 하나의 전율을 가져다주었다.

만복의 딸, 성의 누나의 번호는 저장하지 않았다.

만복을 위해 영화들을 계속해서 골라주었다. 만복뿐만 아니라 다른 손님들도 계속 DVD방에 다녀갔다. 만복은 어느 날에 나에게 다가와서 말하기를,

있잖아 아가씨. 나 솔직히 아가씨가 골라주는 영화들 조금 소란스러웠거든. 근데 얼마 전에, 텔레비전을 켰는데 오씨엔 거기서 영화를 하나 해주더라고. 이름은 아, 기억이 안 나. 그런데 그냥 영화가 좋았어요. 시퍼렇게 화면이 중간에 변하고, 그래요. 아가씨한테 말해주면 이 영화가 뭔지 알 수 있을까? 그러니까 내용이,

만복은 꽤나 상세한 설명을 이어갔는데 나는 그저 입을 꾸욱 닫고 있을 수밖에 없었다. 그러니까, 만복이 말하는

그것 중에 단 한 마디도 이해가 되지 않아서. 만복이 보았다는 그 영화, 만복에게 무엇을 남겼는지, 무엇이 인상적이었는지, 그 말들을 하나도 이해할 수가 없어서 나는 그저 조용히 하고 있었다.

그렇게 나에게는 다시 한번 새로운 최초가.

쿠키 영상

영화라는 단어를 받아 들고 글을 쓰는 내내 무척 고민했던 것 같습니다.

영화에 관해 깊이 아는 바는 없습니다. 다만 저는 영화를 생각하면 영화관이 떠오르고 알 수 없는 두려움도 느낍니다. 어린 시절에 재난 영화를 보았었는데, 어둡고 컴컴하고 넓은 영화관 속에 가만히 앉아있다는 것이 정말로 무서웠어요. 그런데 자그만 화면으로 보는 영화는 또 재미있었습니다. 판타지 장르의 영화를 보면서 상상하는 법을, 뮤지컬 장르의 영화를 보면서 리듬을, 코미디 영화를 보면서 몹쓸 농담을 배워왔습니다. 어떤 장면들이나 어떤 인물들은 머릿속에 아주 깊이 남아있기도 하고 아니기도 합니다. 영화에 대한 이 편협한 기억과 단상들만으로, 빈 문서를 켜놓고 아무것이나 적으면서 소설을 구상하기 시작했습니다.

영화로 시작해 옮겨온 테마는 성장이었습니다. 요즈음 저는 성장이라는 말에 자꾸만 흥미가 갑니다. 어떤 성장을 경험하는 인물들을 그려내고 싶었고, 가장 중점이 되는 인물은 어떤 정체를 경험하는 중인 인물이기를 바랐습니다. 그 과정에서 첫사랑을 약간 곁들었습니다. 그렇게 무언가 무례하게도 상대를 그냥 쫓게 되는, '애정'의 경험을 한 인물이 주인공이 되었습니다.

소설 속에 등장하는 시간대는 크게 두 가지인데, 대단히 분리하려는 욕심을 내지는 않았습니다. 과거와 현재, 미래가 섞여 있는 듯한 '나'에게는 시공간 사이의 경계를 누군가에게 이야기함으로써 구축해 나가려고 하지만, 일이 그렇게 썩 잘 풀리지는 않습니다. '나'는 '만복'에게 본인의 지식을 전수하며 어떤 쾌감을 느끼지만, '만복'이 경험한 어떤 새로운 세계 앞에서는 조용해집니다. 그렇지만 이 둘에게 '최초의 순간'으로 각인될 만한 어떤 순간을 그려보고 싶었고, 그 순간은 이 둘에게 끝까지 기억되지 않을까, 하는 희망을 담아 글을 썼습니다. '나'의 시선 끝에서 조각되었던 '정애'에게도 보이지 않는 이야기들이 많습니다. '나'나 '만복'에게서도 많은 이야기들을 가렸습니다. 그들에게 숨겨져 있으리라 상상한 장면들이 많고 그 부분들을 실제로 썼다가 또 지웠습니다. 단편적으로 읽히는 이야기들로 그 숨은 이야기들을 짐작해 나가면 좋겠다는 마음으로 글을 썼는데 아쉬움이 남기도 합니다. 이 글이 읽으시는 분의 어떤 기억 하나와 연결되었으면 좋겠습니다. 감사합니다.

소예진

빛의 끝에는
어떤 장면이

쿠키 영상

있잖아, 넌 나의 세상 속에

　모든 것은 그날 정윤과 가영이 함께 본 한 편의 영화로부터 시작되었다. 한 사람이 다른 사람의 팔뚝을 부드럽게 매만지다가 자연스레 단추를 열어 살을 주무르기 시작하는 영화. 과일 껍질을 벗기는 것처럼 매끄러운 그 동작에 정윤은 압도당한 기분으로 침을 삼켰다. 정윤의 침이 목구멍을 넘어 위장으로 도착하는 동안, 영화관 스크린 속의 두 사람은 위장에 담은 것들을 몸 밖으로 내보낼 요량인 듯 쥐어짜는 소리를 내고 있었다. 정윤은 제 입술 사이로 빠져나온 한숨이 그들의 소리와 엇비슷하게 들리기라도 할까 두려웠으므로 입을 굳게 다물었다. 탄식이라도 새어나가는 날엔 가영이 저를 보며 웃음을 킬킬 흘릴 것 같았다. 정윤은 어두운 영화관 안에서 다른 관객들의 표정을 보기 위해 애썼다. 몸을 옆으로 젖히고 무릎에 올려둔 팝콘 통을 두드리던 한 여자는 공허한 눈빛으로 화면을 바라보고 있었다. 똑같은 자세로 팔짱을 낀 남자 두 명은 미간을 찌푸린 채 입을 살짝 벌리고 있었는데, 흥미를 느낀다기보다는 무언가를 분석하는 듯한 표정이었다. 그 옆에 앉은 앳된 얼굴의 여자는 미동도 하지 않은 채 손가락을 까딱거렸다. 그다지 집중하진 않은 모양이었다. 정윤은 그들과 같은 표정을 짓고 싶었으나 도저히 얼굴의 어떤 부위에 힘을 주어야 할지 감이 잡히질 않았다. 극장 안에서 가장 건조한 얼굴을 하고 있던 사람은 가영이었는데, 그 사실이 정윤에게 조급한 마음을 가져다주었다. 정윤은 최대한 눈에 힘을 주기 위해 노력했다. 두 눈을 치켜뜨고 있으니 제법 가영과 비슷해 보이는 것도 같았다.

먼저 성인 영화를 보러 가자고 제안한 쪽은 가영이었다. 정윤은 태연한 표정으로 할 수만 있다면 진작 했을 것이라 대꾸했지만 썩 진심이었던 건 아니었다. 무언가를 모른다는 사실을 체감할 때마다 얼굴이 자주 붉어지던 시기였고, 가영은 그즈음 정윤을 수시로 화끈거리게 만드는 사람이었다. 이번에도 붉어진 얼굴을 감추기 위해 허둥거리고 싶지 않아 정윤 나름대로 최선의 답변을 내놓은 것뿐이었다. 그런데 가영은 뭐라고 했던가. 저를 믿고 따라오기만 하라고 했었지. 정윤의 의도를 전혀 눈치채지 못한 표정을 하고서. 이전에도 가영이 정윤의 당혹스러움이나 부끄러움 같은 감정들을 먼저 파악하는 경우는 드물었다. 정윤은 그 사실에 자주 안도했으나 이번만큼은 태평히 넘기기가 어려웠다. 가영은 학교와 가까운 세 군데의 영화관을 모두 조사해 성인 영화 상영 시 따로 주민등록증 검사를 하지 않는 지점만을 골라냈다. 그 정도로는 직성이 풀리지 않았는지 만일을 대비한 가짜 민증을 만드는 일도 함께했다. 정윤은 가까이할 때마다 다소 움츠러드는, 가영의 '아는 언니들' 덕분이었다. 유심히 보지 않으면 구별이 어려운 신분증을 들고 가영은 고른 치열을 드러내며 웃었다. 정윤은 가짜 주민등록증을 햇빛에 비춰보며 그 정교함에 혀를 내둘렀다.

다행스럽게도 생기 없는 표정의 영화관 직원은 이제 막 중학교에 입학한 가영의 주민등록증을 궁금해하지 않았지만 정윤은 그게 정말 다행이라고 생각하지는 않았다. 스크린 속 두 사람의 입에서 흘러나오는 소리가 점점 커질 때마다 그 생각에는 확신이 실렸다. 정윤은 팝콘 몇 개를 의도적으로 흘리고 고개를 숙여 치우는 척하며 몰래 무선이어폰을 꺼냈다. 양쪽 귀를 틀어막고 팝송을 재생시키자 평화가 찾아왔다. 데이빗 보위가 스타맨의 이야기를 노래하는 선율에 맞춰 정윤은 등받이에 몸을 편안하게 기댔다. 하늘에서 스타맨이 기다리고 있어, 그는 우리를 만나러 오고 싶어 해. 정체 모를 스타맨에 대한 가사가 울려 퍼졌고 하늘에서 기다릴 그를 생각하자 눈앞의 두 알몸쯤이야 아주 같잖고 하찮게 느껴졌다.

문제는 그 선율 때문에 두 개의 몸이 나누는 이야기를 전혀 이해하지 못했다는 데 있었다.

"어땠어? 나쁘진 않았는데 좀 지루했어, 그치?"

가영이 그렇게 물었을 때, 정윤은 기계적으로 고개를 주억거리면서도 쉽사리 입을 떼지 못했다. 대사를 듣지 못했으니 영화가 어떤 결말로 막을 내렸는지 알 턱이 없었다. 두 사람이 갈림길에서 돌아섰어, 그리고 헤어졌지, 그 후엔 엔딩크레딧이 올랐고…. 생각나는 장면은 그 정도뿐이었으므로 정윤은 이렇게 덧붙였다. 그래, 마지막이 좀 허무했어. 가영은 시선을 앞쪽에 고정한 채로 싱긋 웃었고, 정윤은 그 웃음이 어쩐지 조금 찝찝하다고 생각했다.

식탁 의자에 앉은 뒤에도 정윤은 도무지 식사에 집중할 수 없었다. 그릇에 담긴 밥알의 모양 하나하나에 집중하게 되었고, 왠지 그 모양마저 이상하다는 생각을 지울 수 없었다. 그러자 집안의 모든 게 평소와는 달라 보였다. 의자에 삐딱하게 걸터앉은 정엽도, 보지도 않는 신문을 펼쳐두고선 미간을 찌푸리는 성준도, 식기를 내던지듯 싱크대에 내려놓는 미영도. 익숙한 얼굴들과 낯선 알몸들이 겹쳐 보였다.

특히 부모의 알몸. 정윤을 만들어 낸, 정윤을 낳은, 성준과 미영의…. 그런 상상은 약간 속이 안 좋았고 그보다 많이 흥미로웠으며 또 좀처럼 구체화되지 않아 정윤의 마음을 어렵게 만들었다. 함께 있는 걸 끔찍하게 싫어하는 그들이 피부를 맞대고 느꼈을 역겨움을 정윤은 천천히 가늠해 보았다. 그러다 더는 밥을 먹을 수 없을 것 같은 기분이 되어 젓가락을 내려놓았다. 그제야 성준이 입을 열었다.

"밥맛 떨어지게 굴지 마라."

미영의 반응이 정윤보다 빨랐으므로 정윤은 다음 순간 몸을 움츠리는 수밖에 없었다. 미영은 성준의 말이 끝나기가 무섭게 시끄러워, 하고 대꾸했다.

"니 일 안 풀리는 걸로 애한테 성질 좀 내지 마."

성준은 그대로 일어섰고, 미영의 머리를 붙잡아 싱크대 쪽으로 가져다 댔다. 머리와 싱크대가 부딪치며 둔탁한 소리가 났다. 미영은 소리를 지르고 손톱으로 성준의 목덜미를 긁어내렸다. 그들이 서로를 할퀴며 식탁을 밀어내는 바람에 테이프로 간신히 고정해 둔 나무다리가 흔들렸다. 정엽이 숟가락을 든 오른손을 내리지 않은 채 왼손으로 식탁 다리의 부서진 부분을 움켜쥐었다. 그러고는 무심한 표정으로 밥을 먹었다. 정윤은 그 단단하게 고정된 손을 발로 걷어차고 싶은 기분에 휩싸였다. 이게 다 오빠 때문에 시작된 거잖아.

정윤은 정엽이 태어나던 순간을 생각할 때마다 그렇게 말하고 싶었다. 아이가 생기지 않았다면 성준과 미영은 결혼하지 않았을 것이다. 정엽이 우연히 찾아온 탄생의 기회를 움켜쥐지 않았더라면 말이다. 정윤은 식탁이 무너지는 광경을 끊임없이 상상했다. 수년간 위태롭게 고정되어 있던 식탁이 마침내 무너지고, 그릇들이 산산이 조각나고, 김칫국물이 마룻바닥을 적시는 장면을. 그렇게 갈라서는 부모의 모습을. 정윤은 두 사람이 헤어지는 날이 온다면 그 어떤 걸림돌도 되지 않기 위해 최선을 다했다. 학교 측에서 보호자에게 동행해달라 공지했던 첫 등교 날에는 미영에게 가정통신문을 가져다주지 않았고, 성준이 던진 리모컨에 머리를 맞은 날에는 바늘자국이 남은 이마를 매만지면서도 울지 않았다. 부모가 저와 함께했던 시간 속에서 조금의 애틋함이나 죄책감도 발견하지 않길 바라서였다. 미련이 없어야 쉽게 놓을 수 있을 테니까. 목제 식탁의 다리도, 미영과 성준의 사이도.

눈앞의 식사 시간 역시, 정엽이 끈질기게 붙잡지 않았더라면 정윤은 놓아버리는 편을 택했을 것이다. 그렇다면 그다음은? 정윤은 부모가 함께하지 않는 미래를 그려보려 애썼으나 떠오르는 것은 두 사람이 한 침대에 올라 퍼즐처럼 포개지려 노력하는 모습뿐이었다. 정윤의 상상 속 미영은 성준의 날개뼈 위에 제 가슴을 가져다 놓으려 애썼지만 몸에 기름을 발라놓은 것처럼 자꾸 미끄러졌다. 보다 못한 성준이 미영의 허벅지 위로 올라오려 하자, 이번에는 두 사람의 머리가 자석의 같은 극처럼 서로를 밀어냈다. 두 개의 벗은 몸은 가까워지려 할 때마다 휘어지고 뒤틀려, 형체를 알아볼 수 없는 모양이 된 채로 정윤의 머릿속을 떠돌았다. 정윤은 미영이 성준의 목을 조르며 제게서 시선을 거둔 틈을 타 현관문을 열고 뛰쳐나왔다. 버스정류장까지 단숨에 뜀박질한 후에야 머릿속을 지배한 알몸의 이미지를 떨쳐낼 수 있었다.

　편의점에서 산 아이스바를 입에 물고 집으로 돌아오는 길에, 정윤은 인적이 드문 놀이터에서 짝다리를 짚고 서 있는 정엽을 발견했다. 정엽은 또래로 짐작되는 여자의 머리를 쓰다듬으며 정윤이 한 번도 본 적 없는 표정으로 웃어 보였다. 여자는 정엽이 다니는 고등학교에서 꽤 멀리 떨어진 학교의 교복을 입고 있었다. 정엽은 여자의 손등을 조심스럽게 매만졌다. 하얗고 가느다란 손이었다. 다음 순간 정윤이 잽싸게 가로등 뒤로 몸을 숨긴 건 순전히 그 손의 움직임 때문이었다. 여자는 정엽의 어깨와 턱을 손가락으로 쓸어내렸고, 정엽 쪽으로 몸을 완전히 기울여 알아들을 수 없는 말을 속삭였다. 나지막이 웃는 그들의 모습은 제법 능숙해 보였고, 그 사실이 정윤에게 일종의 신뢰를 가져다주었다. 정엽과 여자는 정윤이 모르는 것을 알고 있었다. 성준과 미영만 아는 것을 알고 있었다. 두 사람이 별일 없이 자리를 뜨고 난 후에도 정윤은 한동안 가로등 불빛을 받으며 가만히 서 있었다.

"내놔, 맛없으면."

가영이 그렇게 말하며 정윤의 급식 판에 담긴 소시지를 젓가락으로 낚아챘다. 한 손에 영어 단어장을 들고 단어를 외우느라 정윤의 일그러지는 표정을 보지 못한 것 같았다. 정윤이 짜증 섞인 탄식을 내뱉자 가영은 눈을 동그랗게 떴다.

"깨작대길래 대신 먹어준 건데 왜 그래?"

"이따 먹으려고 맛있는 것만 남겨둔 거였는데, 아! 나 어제 저녁도 못 먹었단 말이야!"

"이렇게까지 화낼 일이야? 알았어, 내 햄 먹어. 진짜, 오늘 되게 이상하네."

정윤은 가영이 제 식판 위에 올려둔 소시지를 노려보다가 한숨을 푹 내쉬었다. 야, 미안하다고 했잖아. 너 원래 햄 좋아했냐? 몰랐다고, 미안하다고. 정윤이 가영의 사과를 흘려들으며 식판에 남은 음식을 전부 국그릇 안에 밀어 넣었다.

"내가 손 좀 댔다고 버리는 거야? 미안하댔잖아."

"너 때문 아니야. 그냥 밥이 안 넘어가."

"아파?"

가영이 걱정스러운 눈빛으로 정윤의 이마에 손을 가져다 댔다. 없는데, 열. 아닌가, 있나? 제 이마와 정윤의 이마를 번갈아 만져 대는 가영을 보며 정윤은 길게 한숨을 내쉬었다. 속이 매스꺼웠다. 가영이 자신의 말을 어떻게 받아들일지 두려움이 앞섰으므로, 정윤은 다음 질문을 하기까지 꽤 긴 뜸을 들여야만 했다.

"어제 영화 보고 나서… 속 괜찮았어?"

"속? 갑자기?"

"토 나오지 않았냐고… 계속 생각나서."

아이씨. 정윤은 아무것도 모르겠다는 듯 눈을 끔뻑이는 가영을 보며 입술을 깨물었다. 무슨 말을 해야 할지 망설이는 사이 가영이 뭔가 알아차린 듯 씩 웃었다. 정윤은 다음 순간 제 어깨를 부드럽게 두드리는 손길을 느끼곤 소리를 질렀다. 말없이 고개를 끄덕이던 가영은 얄미운 미소를 숨기지 않았다. 정윤이 먼저 급식 판을 들고 일어섰다. 일부러 큰 소리를 내며 잔반을 버리는 동안, 등 뒤로 가영의 웃음소리가 들려오는 것 같았다. 정윤은 눈을 흘기며 뒤를 돌아보았다. 가영이 너덜너덜해진 단어장으로 얼굴을 가린 채 웃음을 참느라 어깨를 떨고 있었다.

가영은 처음이 아니라고 했다. 그런 영화도, 이런 상황도. 가영의 표현을 빌리자면, 실제로 외국에서 자란 건 아니지만 외국에서 자란 것만큼의 포용력을 가진 가영의 부모는 지금보다 더 어린 가영을 붙잡고 체계적인 교육을 선사했다. 일부러 통제하려 들면 호기심이 좋지 않은 방향으로 발현될 거란 신조를 지닌 부모님 아래서, 가영은 건강하고 왕성하게 자랐다. 방송국에서 만든 성교육 영상을 부모와 함께 시청하며 자란 가영은 '아는 언니들'의 음담패설에 어렵지 않게 공감할 수 있었고, 바로 그 이유로 언니들로부터 총애를 받았다. 정윤에게는 별 관심을 두지 않았던 그들은 가영과 마주치면 과장된 몸짓으로 어깨를 두드리며 친분을 과시했다. 주눅 든 적이 없었다면 거짓말이었다. 정윤은 가영의 부모가 아주 자연스럽고 부드러운 방식으로 서로를 감싸안는 장면을 상상했다. 그들의 얼굴을 본 적은 없었지만 틀림 없이 만족스러운 표정을 짓고 있을 것만 같았다. 성준과 미영도 그런 표정을 지었을까. 정윤은 그들의 표정을 떠올려 보는 대신 그들보다 더 능수능란하게 허리를 흔드는 정엽의 실루엣을 머릿속으로 그려보았다. 제법 그럴듯한 실루엣에 알 수 없는 안도감이 생겼다.

정윤은 종일 가영을 피해 다니다가 하교 시간이 되어서야 마지못해 옆자리를 내어주었다. 자연스럽게 정윤에게 팔짱을 낀 가영이 손가락으로 교문 밖을 가리켰다. 정윤은 주차장에 일렬로 선 승용차들을 발견했으나 가영이 정확히 어떤 차를 가리키는 것인지는 알 수 없었다.

"오늘 우리 엄마 와, 인사해. 오늘부터 학원 데려다주기로 했거든."

"갑자기? 원랜 버스 타고 갔잖아."

"시간 아깝잖아. 길거리에서 30분씩 버리고. 일찍 가면 더 길게 자습할 수 있는데. 그래서 데리러 오라고 했어."

가영이 교문 앞에 서서 휴대전화를 만지작거렸다. 곧이어 유독 새하얀 승용차 하나가 정윤의 앞에 멈춰 섰다. 저를 향해 타라고 손짓하는 듯한 움직임에, 정윤은 앞으로 발걸음을 옮기다 가영이 차 문을 열어젖히는 것을 보고 뒤로 물러났다. 가영의 엄마는 운전대를 잡은 채로 정윤에게 손을 흔들었다. 네가 정윤이니? 생각했던 것보다 나긋하지는 않은 목소리였지만 역시 듣기 좋은 편이라고 생각하며 정윤은 고개를 숙였다. 포인트 별 장식이 박힌 청치마를 입은 가영의 엄마는 가영처럼 얼굴 가득 웃음기를 띠고 있었다. 큰 보석이 들어간 선글라스가 어울릴 것 같은, 잘 정돈된 짧은 머리에 세련되고 시원시원한 인상이었다. 그다지 웃긴 일이 있는 게 아닌데도 한 마디씩 내뱉을 때마다 웃음을 멈추지 않았다. 곧 출발할 차를 멀리서 지켜볼 요량으로 정윤은 한 걸음씩

물러서며 손을 흔들었지만 차는 한참 동안 멈춰 서 있었다. 차창 너머로 가영의 표정이 미묘하게 굳어지는 것이 보였다.

"딸, 갈 거야? 안 가고 싶으면 안 가도 돼."

열린 창문 사이로 하이톤의 목소리가 들려 왔다. 가영이 세차게 고개를 흔드는 모습이 보였다. 차는 출발 직전까지 한참 뜸을 들이다 움직이기 시작했다. 덕분에 정윤은 가영의 엄마가 운전대에서 손을 뗀 채 여유롭게 웃던 모습과 가영의 경직된 표정을 번갈아 오랫동안 바라볼 수 있었다.

정윤은 한 번도 가영에게 먼저 전화를 건 적이 없었다. 별다른 일이 없는 날 전화를 걸 만큼 가영의 일거수일투족이 궁금한 것도 아니었고, 학교에서 늘 붙어 있으니 굳이 다른 상황에서까지 목소리를 들을 필요가 없다고 느껴서였다. 가영은 조금 다르게 생각하는 것 같았지만 지금까지 그런 의견 차이가 크게 문제 된 적은 없었다. 정윤은 먼저 전화하지 않을 뿐, 가영에게서 오는 연락은 언제나 살갑게 받는 편이었으니까. 굳이 연락할 이유가 없다고 느껴 전화하지 않았던 것처럼 연락을 받지 않을 이유 역시 없다고 느껴 친근히 반응한 것뿐이었다. 가영의 모든 전화에 정윤은 성실히 답변했다. 좋아하는 아이돌의 연애 소식부터, 대머리 수학 선생님의 험담을 나열하는 그 모든 연락에도. 정윤이 제 전화를 연거푸 거절하는 가영의 행동을 이해할 수 없었던 건 그래서였다. 이런 건 너무 불공평하지 않은가.

집에 들어온 정윤이 마룻바닥에 널브러진 유리 조각들을 확인하자마자 가장 먼저 한 행동은 미영을 찾는 것이었다. 성준은 흥분하면 물건을 집어 드는 버릇이 있었고, 그가 들고 있는 물건이 젓가락이나 연필 따위일 때는 정윤도 큰 신경을 쓰지 않았지만, 그게 유리 접시라면 이야기가 달랐다. 제 이마를 향해 리모컨을 던졌던 날처럼, 성준이 미영을 향해 유리 조각을 휘두르게 되면 상황이 어느 정도로 골치 아파질지 정윤은 모르지 않았다. 성준은 깨진 유리 조각을 들고 화장실 문 앞에 서 있었다. 굳게 닫힌 화장실 문틈 사이로 미영이 흐느끼는 소리가 들렸다. 성준은 미영이 문을 열고 나오기만을 기다리고 있는 것 같았다. 정윤은 정엽의 방문을 두드렸다. 정엽이 천천히 잠금장치를 풀고 고개만 빼꼼 내민 채 무심하게 거실을 건너다보았다.

"지금 말려야 돼."

정윤은 그렇게 말했고 정엽은 대답하지 않았다.

"오빠, 할 수 있잖아."

정윤이 모르는 것을 알고 있는 사람, 성준과 미영을 붙잡을 수 있는 사람. 정엽은 유일하게 이 두 가지 조건을 모두 충족하는 사람이었다. 정엽을 찾는 것 말고는 별다른 방법이 떠오르지 않았다. 미영이 흐느끼다 못해 쥐어짜듯 악을 쓰는 소리가 들려왔다. 정엽이 미간을 찌푸리며 손가락을 귀에 넣고 두어 번 휘저었다.

"내가, 또 해야 되냐?"

정엽은 웅얼거리며 세차게 문을 닫았다. 다시 한번 비명이 들려서 정윤은 발걸음을 재촉해 안방으로 들어갔다. 대치 상황을 견디길 포기한 성준이 몸을 늘어뜨린 채 방에서 빠져나오고 있었다. 성준의 시선이 정윤의 정수리에 닿았다. 정윤은 그의 손에 유리 조각이 들려 있지 않은 것을 재빠르게 확인한 후 어색하게 웃었다. 작은 빗자루로 유리 파편들을 쓸어 담고, 청소기로 남은 잔해를 빨아들이고, 침대에 드러누워 이불을 덮어쓰기까지는 십 분이 채 걸리지 않았다. 이불 안에 몸을 숨기고 천천히 숨을 고르자 처음으로 가영에게 전화를 걸고 싶다는 생각이 들었다. 무슨 이야기를 해야 할지 명확히 정리할 수는 없었지만 가영의 목소리가 듣고 싶었다. 가끔은 비열해 보일 정도로 킥킥대는 웃음소리가 필요했다. 삼십 분 간격으로 발신 버튼을 눌렀지만 가영은 끝까지 전화를 받지 않았다. 그다음 날에도, 그다음이 훨씬 지난 날에도. 공휴일이 연달아 찾아오던 연휴였고, 유리 조각을 들고 성을 내던 성준도 연휴가 끝나갈 즈음에는 피로가 풀려 만족스러운 표정을 짓고 있었다. 언제 언성을 높였냐는 듯 소파의 양 끝에 걸터앉아 TV에 시선을 고정한 부모를 보면서도 정윤은 가영을 생각했다. 일부러 연락을 확인하지 않고 있단 걸 모를 수 없었다. 연휴 마지막 날이었던 금요일이 되어서야 가영은 짧은 문자를 보내왔다. 내일 만나자는 내용의 간략한 메시지였다. 그간 답장하지 못해 미안하다는 말은 없었다.

정윤은 인파 속에서도 가영을 쉽게 찾아낼 수 있었다. 가영이 자주 입는 옷, 즐겨 뿌리는 향수, 가영만이 낼 수 있는 웃음소리, 약간 우스꽝스럽지만 독특한 팔자 걸음걸이를 정윤은 언제나 쉽게 떠올릴 수 있었으니까. 정윤은 수많은 사람 사이에서 떠밀려 가지 않으려 애를 쓰며 간신히 몸을 지탱하고 선 제 모습을 상상해 보았다. 가영도 멀리서 정윤을 단번에 알아볼 수 있을까. 확신할 수 없었다. 빨간 리본으로 머리를 질끈 묶은 채 종종걸음으로 정윤에게 다가오는 가영이 보였다. 단정히 묶인 머리가 리듬을 타는 것처럼 흔들렸다.

"미안, 늦었지."

"그것만?"

"어?"

"그것만 미안하냐고."

가영이 동그랗게 뜬 눈을 두어 번 끔뻑였다. 정윤은 울컥 치밀어오르는 화를 누르기 위해 작게 한숨을 내쉬었다. 제 감정을 논리적으로 설명하지 못한다면 가영이 저를 비웃을 것 같았다. 이런 순간에서만큼은 가영의 놀림거리가 되고 싶지 않았다. 정윤은 최근 통화 내용이 적힌 휴대전화 화면을 들어 가영에게 보여주었다. 연휴 내내 가영에게 전화를 걸었던 흔적들을 다시 마주하자 마음 한쪽이 서늘해졌다. 가영은 짧게 탄식하더니 헛웃음을 터뜨렸다. 아, 난 또 뭐라고. 그렇게 중얼거리는 소리가 들려 왔다.

"바빴어, 미안해. 됐지?"

"전화를 한 번도 못 받을 만큼?"

"어."

"다시 걸 시간도 없을 만큼?"

"그랬다고."

"뭐했는데?"

가영이 천천히 뜸을 들이는 동안 정윤은 고개를 푹 숙였다. 아무리 생각해도 더 잘못한 쪽은 가영일 텐데도, 저렇게 태연한 표정을 짓고 있다는 사실을 믿을 수 없었다. 극장에서 본 가영의 건조한 얼굴이 떠올랐다. 더는 참을 수 없을 것 같은 기분에 고개를 치켜들고 화를 내려는데 가영의 표정이 조금 이상했다. 눈썹을 일그러뜨리고 무언갈 참아내는 듯한 얼굴이었다.

"일이 있었어. 넌 어차피 말해줘도 모를 거야."

정윤은 더 묻지 않는 게 가영의 자존심을 건드리지 않는 일이란 걸 모르지 않았으나 그렇게 해주고 싶지 않았다. 한 번쯤은 가영에게도 굴욕적인 순간을 안겨주고 싶었다. 무슨 일이 있었는지 말하지 않는다면 집으로 돌아가 버리겠다고 단호히 말한 건 그래서였다. 그렇지만, 괘씸한 마음이 들었던 건 사실이지만, 가영을 괴롭히려던 건 아니었다. 내가 겪은 걸 너도 조금은 느껴보란 심보였을 뿐인데. 가영은 눈에 띄게 괴로워하더니 의외로 순순히 꼬리를 내렸다. 일단 가자, 말해줄게. 그래, 다 말해줄게, 다.

그러니까, 가영은 연휴 내내 바빴던 것은 사실이라고 했다. 시간이 없었던 건 사실이야. 하지만 네 전화를 피한 것도 사실이야. 정윤은 그 두 문장이 모두 사실이 되어야만 했던 이유를 끈질기게 캐물어서야 전해 들을 수 있었다. 가영은 썩 성적이 좋은 편이 아니었는데, 그건 성실도나 흥미 문제라기보다는 무지가 만들어낸 결과였다. 문제를 푸는 법 자체를 모르겠다며 학원에 보내달라고 조르는 가영에게 부모는 무심하게 대꾸했다. 얘, 진짜 중요한 공부는 그런 게 아니지 않니,

친구들이랑 어울리고, 자연을 관찰하고, 그래, 그런 게 공부 아니니. 수상할 정도로 이상적인 말이어서 정윤은 그만 웃음을 터뜨리고 말았다. 가영은 진짜 공부니, 가짜 공부니, 하는 것들을 그다지 구별해 보고 싶진 않았고, 그냥 지금 당장 제 답답함을 해소하고 싶었으므로 설득을 멈추지 않았다. 결국 마음대로 해 보라며 먼저 포기한 쪽은 부모였다. 그 대치 상황을 지나치게 질질 끄는 것도 썩 그들답진 않은 짓이었을 거라고, 정윤은 내심 생각하며 킥킥 웃었다. 아이를 자유롭게 풀어주는 부모가 되고픈 마음과 아이와 맹렬하게 대치하지 않는 부모이고 싶은 마음 사이에서 그들이 겪었을 곤란함을 생각하니 웃음을 참기 어려웠다. 그 이후 가영을 가로막은 건 부모보다는 영화였다. 한 사람이 다른 사람의 팔뚝을 부드럽게 매만지다가 자연스럽게 단추를 열어 살을 주무르기 시작하는 그 영화.

영화는 가영이 무언가에 집중하려 할 때면 시도 때도 없이 떠올라 눈앞의 모든 것을 망쳐놓았다. 문제집 귀퉁이에 그려진 여자아이가 얼굴을 붉히는 이유를 생각해 보게끔 했고, 갓 태어난 아이가 한 명 있다는 학원 강사의 얼굴을 쳐다보기 어렵게 만들었다. 주어진 수업 시간에 충분히 집중하지 못한 가영은 틈만 나면 학원에 남아 연습장을 빼곡히 채우는 암기 과정을 거쳐야만 했는데, 그 사실이 부모의 심기를 거스른 모양이었다. '자유'보다는 '프리'라는 단어를 사용하기 즐겼던 가영의 부모는, 바로 그 프리한 라이프를 위해 가영이 학원을 그만두어야 한다고 주장했다. 그들은 하고 싶은 것을 하고 사는 자기 주도적인 라이프가 얼마나 중요한지 가영에게 여러 차례 당부했다. 가영이 하고 싶은 그 일이 학원에 다니는 것이란 사실을 생각하면 꽤 모순적인 말이었다. 그런 실랑이를 이어가는 와중에도 영화에 대한 생각은 멈추지 않았고, 기분이 나아지지 않으니 연락 역시 할 수 없었다는 게 가영의 입장이었다. 난제를 품에 안고 연휴 기간을 버텨 온 가영의 얼굴은 이전보다 고단해 보였다. 정윤은 그 고단함을 인정해 줄 수밖에 없었다.

"너 그런 영화 많이 봤다고 하지 않았어?"

정윤이 그렇게 물었을 때 가영은 두 손으로 얼굴을 쓸어내렸다. 그동안 본 건 엄마랑 같이 본 거라 그 정도는 아니었단 말이야. 체계적인 성교육을 받으며 자랐다기엔 연약하기 짝이 없는 표정이었다.

저녁을 먹고 식당을 나서던 정윤은 가게 앞에서 익숙한 승용차 한 대를 발견했다. 엄마가 근처에 볼일 있다고 집까지 데려다주겠대. 묻지도 않았는데 변명하듯 말을 쏟아낸 가영이 인사할래, 하고 물어서 정윤은 고개를 끄덕였다. 가영의 엄마가 창문을 열고 정윤에게 손을 흔들었다. 여전히 웃음기

띤 얼굴이었고 하이톤의 목소리도 그대로였지만 무언가 달라진 것 같았다. 변한 것이 무엇인지 곰곰이 생각해 보기도 전에 가영이 잽싸게 뒷좌석 문을 열어젖혔다. 이번에는 가영의 낯빛이 급속도로 어두워지는 이유를 모르지 않는다는 게, 정윤의 기분을 나아지게 했다. 자동차의 바퀴는 프리한 라이프를 향해 나아가듯 부드럽게 굴러가기 시작했다. 정윤은 집으로 돌아가는 발걸음을 재촉해 신이 난 아이처럼 뛰어가다가 이내 제자리에 멈춰 선 채로 뒤를 돌아보았다. 가영의 차는 이미 골목에서 사라진 지 오래였는데도 정윤은 한참 동안 멍하니 허공을 응시하고 서 있었다.

정윤은 가영의 사정을 알고 있었지만 그게 가영이 된 것처럼 생각할 수 있다는 뜻은 아니었다. 정윤은 가영을 알게 될 수는 있지만 이해하게 될 수는 없을 것이다. 가영 역시 그럴 것이다. 아무리 많은 이야기를 나누고 가영의 비밀을 점차 더 많이 알게 되어도, 정윤은 가영이 될 수는 없을 것이다. 어색한 발길질로 걷어찬 돌멩이가 맥 없이 다시 발밑에 떨어졌다. 정윤은 갑작스럽게 누군가를 탓하고 싶은 기분이 된 채로 숨을 크게 들이마셨다. 서로를 알아가려고 노력해 본 적도, 상대의 입장을 이해해 본 적도 없을 성준과 미영이 떠올랐다. 더 많이 고단한 쪽이 이기는 내기에서, 두 사람은 둘 중 누가 승자라고 여기고 있을까. 저와 가영을 그 내기에 참여

시킨다면 아무래도 승자는 자신일 거라고 정윤은 생각했다. 그렇지만 가영이 더 높은 점수를 얻어내는 순간도 분명히 있을 것이다. 알고 있는데. 알고 있는 것만으로는 안 되는 걸까. 정윤은 서로의 신체적 조건을 완벽하게 이해하는 두 개의 알몸과, 그들이 결합하는 모습을 상상했다. 퍼즐처럼 완벽하게 들어맞는 두 개의 알몸. 빈틈없는 섹스. 그렇지만 그런 건 있을 수가 없잖아. 성준과 미영 사이에서도 정엽은 태어났다. 정윤도 마찬가지였다. 서로를 이해할 수 없는 사람들 사이에서도 어떤 일은 무사히 일어난다. 좋은 일인지, 나쁜 일인지 미리 알 수는 없지만. 정윤은 자동차가 지나간 아스팔트 위를 신발로 마구 비벼댔다. 얇은 신발 밑창이 점점 뜨거워졌다.

정윤이 정엽과 그의 여자친구를 다시 발견한 건 지난번과 같은 장소에서였다. 정윤은 늘 아이스바를 문 채로 놀이터를 지나쳐 걸어오고, 정엽은 그곳을 데이트 장소로 쓰는 듯했으니 우연이라고도, 필연이라고도 부를 수 있는 마주침이었다. 정윤은 의도적으로 몸을 숨기지는 않았지만 정엽이 발견하기에는 꽤 무리가 있는 자리에서 두 사람의 행동을 조용히 지켜보았다.

정엽은 손으로 여자의 목뒤를 움켜쥐고 얼굴을 앞으로 숙여 능숙하게 자세를 잡았다. 여자는 정윤에게까지 들릴 만큼 큰 콧소리를 내며 눈을 감았다. 정엽이 얼굴을 여자 쪽으로 가져다 댔다. 두 사람이 입술을 맞대는 모습이 보였다. 정윤은 두 얼굴이 붙었다 떨어지는 박자에 맞춰 아이스바를 입에 넣었다 빼기를 반복했다. 아이스바는 달고 차가웠는데, 그 때문인지 정윤의 볼도 함께 차가워졌다. 정엽은 자리를 앞으로 옮겨 여자에게 더 가까이 접근했다. 정윤 역시 두 사람에게 더 가까이 다가가기 위해 놀이터 울타리에 다리를 걸고 걸터앉았다. 두 사람이 제 입술을 문지르며 어색하게 웃기 시작했을 때, 정윤은 어쩐지 이 모든 것들이 지루하다고 느끼기 시작했다. 여자가 떠나고 혼자 남은 정엽은 홀로 제 입술을 더듬으며 멍하니 서 있었다. 정윤을 발견하지 못한 것 같았다.

정엽이 집으로 돌아온 건 한참이 지난 후였다. 정윤은 멍한 표정으로 신발을 벗어 던지고 곧장 소파에 걸터앉는 그의 모습을 지켜보았다. 얼굴이 여전히 벌겋게 상기되어 있었다. 정윤은 성인 영화를 보던 사람들의 무던한 얼굴을 떠올렸다. 내밀해 보이는 무언가를 마주하고도 눈을 깜박이는 것 외의 반응은 보이지 않던 사람들. 가끔은 짧고 건조하게 웃기도 하는 사람들. 그 공허하고 태연한 눈빛을 그는 전혀 닮지 못한 것 같았다. 정엽이 풍선에서 바람 빠지는 소리를 내며 실실 웃음을 흘렸다. 정윤은 웃지 않은 채 방문을 잠그고 들어와 이불을 머리끝까지 덮어썼다. 가영에게서 문자 세 통이 와 있었다. 오늘 재밌었어, 내일 봐, 근데 오늘 했던 얘긴 내일 하지 말자. 간곡한 바람이 묻어나는 듯한 메시지에 정윤은 옆으로 돌아누우며 살짝 웃었다. 이제는 모든 게 가영의 바람대로 흘러가도 괜찮한 기분이 들지 않을 것 같았다.

휴대전화로 데이빗 보위가 부르는 스타맨을 재생시켜 놓은 채로 정윤은 눈을 감았다. 옆방에서 미영과 등을 맞대고 누운 성준이 짜증을 내는 소리가 들려 왔다. 대충 대꾸하는 미영의 목소리는 잠에 취해 있었다. 성준의 이야기를 진지하게 듣진 않는 모양이었다. 왜 내 말을 그런 식으로, 그런 식으로. 성준은 그렇게 들리는 말을 여러 번 반복했고 이내 미영이 앙칼지게 목소리를 높였다. 위협을 받았을 때 나오는 비명이라기보다는 잠을 방해받아 귀찮아진 것에 가까워 보였다. 크게 거슬리지는 않는 소음이었으므로 정윤은 재생되는 음악의 볼륨을 조금 높여 놓는 정도로만 반응했다. 아이들이 춤을 추게 하자는 데이빗 보위의 목소리에 맞춰 정윤은 손가락을 조금씩 움직였다. 그 몸짓이 스타맨과의 교감처럼 느껴져서였다. 정윤은 숨을 참고 먼 우주에서 기다릴 스타맨의 모습을 상상해 보았다. 환한 빛과 함께 영적인 힘을 지닌 스타맨은 귀가 세 개 달린 외계인이 되었다가, 고리를 여섯 개 가진 행성으로 변했다가, 종내에는 헐벗은 채로 누운 이름 모를 두 개의 나체가 되었다. 그 나체들은 서로를 향해 접근하는 듯싶더니 하나가 되어 팔다리를 위아래로 휘저었다. 반짝이는 우주 같기도 하고, 바다 같기도 한 광활한 공간을 수영하듯 헤엄치는 알몸을 보며 정윤은 그 얼굴이 누구의 것인지 알아내기 위해 노력했고 마침내 성공했다. 헐벗은 채로 정윤을 주시하는 알몸은 정윤 자신의 것이었는데, 따라붙는 시선은 전혀 상관하지 않는다는 듯 건조한 표정을 짓고 있었다. 정윤은 제 몸을 이루는 곡선을 무심하게 바라보았다. 별다른 것 없는 평범한 나체였다. 그 모습이 무척 마음에 들어서 정윤은 아무것도 부끄럽지 않다고 생각했다. 나체는 점점 작아지더니 눈으로 볼 수 없을 정도의 크기가 되어 이내 자취를 감췄다. 알몸이 떠다니던 넓은 공간이 영화관 스크린에 담긴 것처럼 한눈에 들어왔다. 뒤로 물러서자 불 꺼진 영화관과 어두운 스크린, 그 앞에 앉아 있는 한 사람의 모습이 보였다. 정윤은 정윤을 바라보던 정윤, 그러니까 제 알몸이 등장하는 영화를 주시하던 자신의 모습을 바라보았다. 이제 막 엔딩크레딧이 올라올 참이었다.

쿠키 영상
있잖아, 넌 나의 세상 속에[1]

어딘가로 도망치고 싶을 때면 숨을 참는다. 숨을 참고 있으면 나의 일상에서 그 순간은 떨어져 나간다. 그동안 알던 세상으로부터 아주 멀리 떨어진 곳으로 가버린다. 힘껏 숨을 참던 시간이 나를 다시 숨 쉴 수 있게 만들었다.

이야기를 쓰는 동안 정윤과 가영, 그 어느 쪽에도 이입하지 않으려 했다. 활자를 활자로, 이야기를 이야기로만 대하고 싶었다. 수학 공식처럼 딱 맞아떨어지는 깔끔한 소설을 쓰고 싶었는지도 모르겠다. 나는 언제나 그런 삶을 원했다. 실수 없는 삶. 그렇지만 가영에 대한 정윤의 마음을 적을 때는 정윤 속으로 들어갈 수밖에 없었다. 이해 없이도 누군가를 좋아할 수 있나요. 알고 있지만 이해할 수 없는 사람들을 어떻게 대해야 할까요. 그런 질문을 던진 후의 가영을 다른 세계로 보내주고

---

1 러블리즈의 노래 '백일몽' 속 가사를 인용했다.

싶었다. 숨을 참는 순간 정윤이 자신의 세계로부터 아주 멀리 떨어진 곳으로 가길 바랐다. 이를테면 스타맨 같은 이들이 사는 곳으로.

실수하지 않는 삶을 살아본 적은 없다. 누군가를 완벽하게 이해했다고 느낀 적도 없다. 인물에게 이입하지 않은 상태로 소설을 써 본 적 역시 없다. 그렇지만 내가 그렇게 되고 싶어 한단 사실이, 나를 그런 사람으로 만들어 줄 것이라 믿는다. 나는 믿고 싶어서 믿는다. 믿지 않는 게 어려워서 믿는다.

내가 알고 있으나 이해하지 못한 이들에게 꿈같은 얘기를 전하고 싶다. 이해할 순 없어도 넌 내 세상 속, 제일 아름다운 공간에서 살고 있다고. 이 사실이 서로 다른 우리에게 작은 위안이 되기를 바란다.

유지원

늘보

쿠키 영상

저 새끼는 항상 늦게 온다. 안쪽으로 굽은 손, 버드나무처럼 늘어진 털, 길고 미련한 손가락, 새까만 두 눈과 어정쩡한 자세. 흐느적거리는 힘없는 몸짓과 대비되게 끈질긴 손힘, 언제나 이쪽을 쳐다보는 얼굴, 부엉이처럼, 올빼미처럼, 느리게 나를 따라오는―그러나 끈질기게 떨어지지 않는―고개. 무엇보다 참을 수 없는 건 미소다. 여래상처럼 은은한 미소. 무념무상을 득도하고 사슬에서 벗어나 세상만사 무엇에도 집착하지 않는 열반의 미소. 그 얼굴을 들여다보고 있으면, 아니 눈이라도 마주칠래면 나는 그제야 깨닫는다. 내 꿈, 내 사랑, 내 열망, 내 마음, 내 감정, 순간 나를 장악하는 내 모든 것들을, 절실하게.

나를 낳은 얼굴보다, 의사의 손바닥보다, 전등보다 내가 먼저 본 것은 나무늘보였다. 억센 손으로 병원 천장에 붙어 고개만 돌린 나무늘보, 나를 보며 웃고 있던 여래의 미소.

그 순간 울음이 터졌고 작렬하는 고통을 느꼈다. 차갑고 숨 막히는 공기와 시끄러운 세상의 틈새에서 방금 태어난 내가 울고 있었다. 여래의 미소가 내게 알려준 것들, 그들 중 가장 처음은 다시 돌아가고 싶다는 강렬한 욕망이었다. 너무 추워, 너무 시끄러워, 너무 무서워! 돌아가고 싶어! 다시 들어가고 싶어!

그러니까, 저 새끼는 항상 늦게 오는 것이다. 다섯 살 난 내가 계산대 위에 파워레인저 대신 미미 공주 세트를 올려놓았을 때도, 검도 대신 태권도에 등록했을 때도, 친구의 사물함에 네가 싫다는 쪽지를 넣어두고 하교했을 때도, 백일장에 백지를 내고 털레털레 귀가했을 때도, 문창과 대신 좀 더 높은 대학의 국문과에 최종 등록했을 때도, 거지 같은 리포트를 일단 제출하고 더 나은 아이디어를 생각하다가 마감 기한이 지났을 때도, 결국 현주와 헤어진 지금도. 이 새끼야, 늦었어, 하듯이 웃으며 나를 쳐다보는 것이다.

현주를 사랑하지 않는다고 판단했을 때, 그때 왔으면 얼마나 좋았겠는가. 동글동글 까만 눈으로 내 안을 비추고 그 안의 열망을 꺼내주었다면. 내가 너를 이렇게 사랑하는지 그땐 몰랐어. 세 번째 문자를 썼다 지우고 나는 창틀에 매달린 나무늘보를 바라보았다. 미안해. 한 번만 대화하자. 없다 생각하고 하루만 보자. 너 없음 안 돼. 카카오톡은 어쩌자고 보낸 메시지 삭제 기능을 만들었나. 그래 놓고 리밋은 왜 십 분으로 걸었나. 붙잡고 울다가 세수를 하고 그 김에 양치를 하고 그러다가 문득 정신을 차리기에 십 분은 너무 짧다. 매달려 웃기밖에 더 안 하는 나무늘보의 눈은 너무 맑다. 그 눈에서 문득 알아차리는 내 내면은 너무 투명하고, 헛웃음이 나오게 간단하다. 이걸 왜 몰랐나 싶게 단순하다. 역시 문창과에 갔어야 했어. 문창과에 가서 시를 썼어야 했어. 그러나 선택하지 못한다. 선택하지 못할 때 나무늘보가 온다. 선택하지 못하니까 나무늘보가 온다. 문창과에 가면, 뒤늦게 리포트를 제출하면, 백일장엔 못 냈어도 글을 써두면, 미안해 실수였어 사과를 하면, 검도에 등록하면, 파워레인저를 사면. 그러면 나무늘보가 그때는 안 오나. 그러면 그게 진심이 되나.

내가 사랑하는지 몰랐어.

결국 전송한 문자를 보다가 화면을 꺼트렸다. 이러면 이게 사랑이 되나. 내가 사랑을 발견한 거기에 네가 있긴 한가. 대상이 없는데 사랑이 사랑인가. 이러면 사랑이 이게 되나. 사랑이 이게, 되냐. 되겠냐. 나무늘보는 왼쪽 팔을 천천히 움직여 창틀 모서리로 기어갔다. 자기가 뻗은 손을 보지도 않고, 제대로 짚었나 쳐다도 보지 않고 고개를 내게 고정한 채 느리게 움직였다. 느리게 움직여서 저렇게 확신에 차 있는 걸까. 생각하고 행동하니까, 천천히 생각하고 그보다 더 천천히 움직이니까 보지도 않고 앞으로 나아갈 수 있는 걸까.

"너는, 임마, 그걸 니가 어떻게 알아."

대철이가 했던 말이 떠올랐다. 나 문창과 말고 국문과 지원하려고. 그 말에 왜, 하며 콜라 캔을 따던 대철이는 내 말을 듣고 기분 나쁘게 웃었다. 아니 그냥 웃었는데 내가 기분이 나빴다. 왜 새끼야, 왜. 또 왜 맘이 바뀐 건데. 나는 캔을 따지도 못하고 모서리만 틱틱대며 만졌다. 희망이 없다잖아. 전망이 없대. 과에 전망이 없는데 나는 애매하게 재능도 없대. 아니 애매하게 재능이 있다고 했나. 애매하게 없든 애매하게 있든 어쨌든 뭐가 없대. 내 글엔, 뭐가 없대. 그러니까 그 '뭐'를 찾으려고 문예 동아리도 하고 외부 강연도 보러 다니고 연애도 하고 학교도 가고 그런 건데 결정적으로 여전히 없다나 봐. 뭐, 그래서 어떡해. 관둬야지. 관두고 살길 찾아야지. 이제부터가 진짠데. 진짜 인생 시작, 내 진로 시작 그런 건데 뭐 어떡해. 좀 있음 원서 접수 끝인데 뭐 어떡해. 수시 카드가 마침 하나가 남았는데 뭐, 어떡해. 대학 잘 가면 좋겠다잖아, 엄마가. 내가 첫째잖아 또. 또 뭐…

"문창과 가면 망한다잖아. 굶어 죽는대."

"해 보지도 않고 어떻게 아는데? 거기 가서도 잘할 사람은 잘하겠지."

"그것도 잘, 해야 안 굶어 죽지. 나는 어중간해서. 가봤자 뭐라도 되겠냐.”

　“아니 그러니까. 너는 임마,”

　그걸 니가 어떻게 알아. 대철이는 빈 콜라 캔을 찌그러트리고 뒤집어 탈탈 털었다. 아 씨, 다 먹었네. 양이 야금야금 더 줄어가는 것 같다. 돼지바처럼.

　돼지바처럼, 하는 말이 뇌리에 남았다. 그래서 손바닥을 펴고 나를 말똥말똥 바라보는 대철이가 돼지 같다고 생각했나. 그런데 돼지가 낫지. 단단한 발로 땅을 딛고 서서 열심히 뭐든 꼭꼭 씹어 먹는 돼지가 낫지. 꼭 쥐었다가 건네준 콜라 캔은 미지근하게 식어 있었다. 망설임 없이 캔을 따서 꿀꺽꿀꺽 마시는 옆얼굴을 가만히 바라봤다. 그 시점에도 나무늘보는 나타나지 않았다. 나무늘보는 끝까지 나타나지 않았다. 내가 수시 원서를 접수하고, 원서 접수 기간이 끝나고, 의미 없는 수능을 치고, 친구들과 술을 퍼먹다 문창과 두 곳과 국문과 한 곳의 합격 결과가 통보되기 전까지. 고민하다 끝내 국문과 입학처에 최종 등록 전화를 할 때까지, 전화를 끊고 다시 술자리로 돌아오기 전까지.

　나무늘보는 고깃집 연기 빼는 통에 매달려 나를 보고 있었다. 최종 등록 전화를 마치고 오는 길이었다. 나무늘보는 언제나 나를 보고 있기 때문에, 내가 나무늘보를 바라보는 순간 반드시 눈이 마주칠 수밖에 없다. 그 눈에서 나는 일순간 깨닫게 된다. 아, 늦었구나. 이번에도 내 선택은 틀렸구나. 틀렸는데 되돌릴 수는 없고 틀린 나만 나무늘보 앞에서 있구나. 연통이 미세하게 흔들렸는데 친구들은 술을 먹느라 눈치채지 못했다. 나만 무너지듯 걸어들어와 마저 소주를 들이켰을 뿐이다.

그날 어떻게 집에 들어왔는지 모르겠어.

너무 취해서, 기억이 안 나. 취해서 한 말이었어.

그냥 그게 너무 힘들어서. 나한테 니가 너무 잘해 줬으니까. 나한테 잘해 주는 너를 보기가 힘들어서. 부담스러웠다는 게 아니라, 그런 게 아니라, 너도 알잖아. 내가 너 맨날 보고 싶어 했던 거. 맨날 독서실 가서 하루 종일 공부하다가 잠깐 나와서 밥만 해결하고 다시 공부하고, 그러면서도 내가 너 보고 싶어 했잖아. 하루 끝에 그래도 니가 있어 줬잖아. 그게 내 유일한 행복이었는데. 그래서 집 가서 잘 수 있었고 아침에 일어날 수 있었고 씻고 밥 먹고 밖으로 나왔다가 독서실 건물 들어가고 그럴 수 있었던 건데. 네가 내 동력이었는데.

내가 그걸 몰라서 그때는. 너무 힘들어서. 너무 힘들다가 너무 오랜만에 술을 마셔서.

그래서…

한번 시작하니까 끝도 없었다. 끝도 없이 거짓말이 나왔다. 오랜만에 술도 아니었고, 너무 힘들어서 한 착각도 아니었고, 술김에 툭 튀어나온 말도 아니었다. 많이 고민했고 혼자 생각했는데, 아무리 생각해도 나는. 그렇게 시작한 말이었고 그땐 그게 진심이었다. 늘 나를 보러 와주고 도시락을 챙겨주던 현주가 부담스러워진 건 임용을 시작하고 칠 개월, 스물여섯 먹고 알바만 전전하는 현주가 한심해진 건 임용을 고민하던 겨울, 그보다 이전에 모든 게 심심하고 밋밋해진 건 전역한 이후 쭉. 현주의 목소리가 여전히 현주의 목소리인 게, 현주의 옷이 여전히 현주의 옷인 게, 현주의 웃음이 여전히 현주의 웃음인 게 참을 수 없었다.

여전한 것들은 하나같이 참을 수 없었고 거기에는 내가 있었다. 내 눈으로 볼 수 없는 것들에 내가 있었고, 내 눈으로 볼 수 있는 것들에는 현주가 있었다. 그러니까, 이 모든 걸 이제야 나타난 나무늘보가 알려준 것이다. 너는 생각이 너무 많아. 현주의 목소리와 함께, 혼자서는 넌 아무것도 모르지, 말하는 듯한 나무늘보의 미소가 겹쳐 보였다.

단정 짓지 않고 판단하는 거, 판단하지 않고 결정하는 거. 그런 게 어떻게 가능하지. 대철이가 찌그러트린 콜라 캔에서는 여전히 콜라가 뚝뚝 떨어지고 있었다. 돌아보지 않으니까 가능한 거야. 헬스장 알바를 하던 대철이가 잔뜩 커진 몸으로 돌아와서 간호학과 준비를 하고 있다고 했을 때, 나는 기분 나쁘게 웃었다. 대철이는 기분 나빠하지 않았다. 대신 나를 따라 웃었다. 처음으로 서점에 가보고 처음으로 인터넷 강의를 들어 봤다고 말했다. 이런 걸 너는 어떻게 매일같이 했느냐고 대단하다며 웃었다. 나는 기분이 나빴다. 밑바닥까지 기분이 나빠 걸친 옷이 질척질척하게 느껴졌다. 걸친 가죽이, 살이, 뼈가 질척거리는 게 느껴졌다. 웃음의 잘못이 아니었다. 대철이가 웃어서 기분이 나쁜 게 아니었다. 현주가 웃어서 진저리가 난 게 아니었다. 마찬가지로 그때는 알 수 없었던 것들이 뒤늦게 나무늘보의 눈 안에서 떠오르고 있었다. 대철이가, 현주가 나무늘보의 얼굴로 웃고 있었다. 꼴에 떨어지지 않겠다고 창틀을 붙잡고 있었다. 느린 몸으로 모서리를 건너고 있었다.

"그래서?"

나무늘보가 입을 뗀 것은 그때였다.

"뭐?"

"그래서."

나는 입을 헤 벌리고 나무늘보를 쳐다보았다. 한 번도, 뒤늦게 나타나서 실실 웃기나 하다가 사라지는 저것이 내게 말을 걸어 온 적은 없었다. 아니 말을 할 수 있는 줄도 처음 알았다. 이십칠 년을 습관처럼 함께 살아오면서 대화를 나눠 본 적은 한 번도 없었다.

"그래서, 그래서 뭐가. 더 말해봐."

점점 목소리가 커졌다. 나는 흥분하고 있었다. 더, 더 해 보라고 종래에는 미친 사람처럼 소리쳤다. 두려움이 솟구쳐 근처에는 가지도 못한 채, 제자리에 못 박혀 서서 고래고래 소리를 질렀다. 더, 더 해 보라고! 말해 보라고! 주먹을 꼭 쥐었다. 아무 일도 없었다는 듯 실실 웃으며 여전히 나를 보는 나무늘보를 꼿꼿이 노려보았다. 귀 뒤가 달아오르는 것이 느껴졌다. 무언가 파도처럼 밀려오는 기분이 들었다. 그게 울음이라는 걸 터지고 나서야 깨달았다. 나는 끊임없이 소리치며 울부짖기 시작했다. 왜 이제야! 왜 이제야 말하는데! 더 해 보라고! 더! 왜 다 끝나고 나타나는데! 나무늘보는 느릿느릿 기어가기를 멈추고 천천히 창틀에서 내려와 두 발로 섰다. 하나도 빨라지지 않은 속도로 내 쪽으로 몸을 돌렸다. 나무늘보가 첫발을 뗐을 때, 나는 겁에 질려 주저앉고 말았다.

"나는 할 말 없어."

숨이 턱 막혔다. 그 말에 목이 막혀 더 이상 소리가 나오지 않았다. 나무늘보의 차분한 목소리 뒤로, 발작적으로 꺽꺽대는 내 울음소리만 방을 가득 채웠다. 발소리도 내지 않고 나무늘보는 서서 나를 내려다보고 있었다.

가늘고 끔찍한 손가락으로 나무늘보는 천천히 내 볼을 쓸었다. 발톱이 닿은 자리가 얼음에 댄 것처럼 서늘했다. 달아올랐던 몸이 싸늘하게 식어갔다. 평온한 여래의 미소,

말하지 않고 생각하는 사람의 얼굴. 생각하고 생각하다가 생각을 잃고, 그래서 무엇도 단정 짓지 않고, 판단하지 않고, 계산하지 않는 미소. 끔찍하게 두려웠다. 나무늘보의 웃음도, 눈도, 단단한 발톱과 느린 몸도, 보지 않고 뻗는 걸음도, 언제나 나를 지켜봐 주기 위해 돌아가 있는 고개도. 미지근한 손톱이 남기는 상대적인 냉기가 내 몸의 과열을 말해주었고, 나는 그런 미지근함을 인정하는 게 끔찍하게 무서웠다. 그 순간 내가 할 수 있는 건 벌벌 떨면서 나무늘보를 올려다보는 일이었고, 간신히 무엇도 탓하지 않는 것이었다. 열감이 가신 눈에 방의 사물들이 하나둘 들어오기 시작했다.

여기까지 적고, 잠시 화장실에 다녀왔다. 그날 이후 일주일은 기억이 없다. 사진도, 메모도, 기록도, 캘린더에 적어둔 일정도 없다. 분명 밖에 나갔고 친구를 만났고 음식을 먹었을 텐데, 샤워를 하고 머리를 말리고 옷을 입었을 텐데 아무런 기억이 없다. 병원에는 가지 않았다. 어릴 적부터 나무늘보를 봤어요. 내가 고민하다가 뭔가를 결정하면 그게 나타나서 내가 정말 원했던 걸 알려줬어요. 그건 내 후회였어요. 그건 내 열망이었고, 내 꿈이었고, 내 사랑이었고, 내 감정이었어요. 내 제일 안쪽에 있는 나였어요. 그런데 항상 늦어서, 그 새끼는 항상 늦어서 결국 그건 내 후회였어요. 내 불행이었어요.

불행은 내가 태어나면서 시작됐어요. 영원히 나와 함께 살아요. 두 번은 없다는 걸 알려주면서. 후회하지 않는 선택은 없다는 사실을 매 순간 긁어주며 살아요. 그런 말을 어떻게 한단 말인가. 뭘 모르는 인간에게 이런 얘길 어떻게 한단 말인가. 말한다 한들, 어디부터 어떻게.

현주는 나를 두 번은 만나주지 않았다. 어떻게 사는지도 알 수 없게, 미치도록 궁금하게 사라져 버렸다. 친구들은 내게 현주의 소식을 전해주지 않았다. 현주 생각에는 끝이 없다. 대상이 없는데 사랑은 존재할 수가 있다. 깜빡깜빡, 사랑은 꺼졌다가도 켜질 수 있다. 나는 언젠가는 현주를 사랑하지 않았고, 어느 날엔 현주를 사랑하고, 그러다가 세수를 하고 양치를 했다.

내가 그걸 몰라서 그때는. 너무 힘들어서. 너무 힘들다가 너무 오랜만에 술을 마셔서.

그래서⋯

그래서?

그래서.

나는 할 말 없어.

현주라면 그렇게 말했을 거야. 울고 있으니 볼도 쓸어주었을 거야.

그러나 그다음엔, 다시는 나를 보지 않았을 거야. 할 말 없어, 그 말을 끝으로 정말 한 마디도 하지 않았을걸. 한때 지겨웠던 목소리가 영원히 들을 수 없는 소리가 되고, 나는 방 한편에 남겨져 이렇게 울고만 있었겠지. 내가 아는 현주는 그랬을 거야. 내가 아는 나는 그랬을 거야. 이 모든 얘길 들은 대철이는 그렇게 말하겠지. 너는, 임마, 그걸 니가 어떻게 알아. 단정 짓지 않고 판단하는 거, 판단하지 않고 행동하는 거. 너는, 임마, 니가 뭔데.

여전한 것들은 여전히 참을 수 없고, 여전한 것들 한가운데에 내가 있다. 내가 볼 수 없는 것들에는 현주가 있다. 내가 볼 수 있는 것들에는 모니터가 있다.

나무늘보는 침대 프레임에 매달려 천천히 움직이며 며칠째 내 등을 보고 있다.

쿠키 영상

그러게요, 미리 알았으면 얼마나 좋았을까.

왜 좋은 것들은 나쁜 것 뒤에 오고, 나쁜 것들은 모든 일이 끝난 후에야 천천히 찾아오는지. 아무것도 모른 채 당하지 않겠다, 그런 메모를 굳은 마음으로 남긴 적이 있습니다.

하지만 항상 사건이 먼저, 인지는 나중에. 감정은 그보다도 늦게 찾아오곤 했습니다. 저는 감정이란 게 모습이 있다면 천천히 움직이는 것, 그리고 여유롭게 웃고 있는 것이라고 생각했어요.

영감(靈感)의 신이 있다면 나무늘보의 모습이지 않을까, 그런 생각에서 쓰게 된 소설입니다. 모니터를 앞에 두고, 영감의 신을 뒤에 두고. 늦은 감정들에 대해 생각하며 오래오래 타자를 두드렸던 것 같습니다.

영화는 영화관에서 보는 것을 좋아합니다. 좋아하는 장면을 캡처해서 남겨둘 수도 없고, 여러 번 반복해서 볼 수도 없기 때문이에요. 한 장면 한 장면을 집중해서 들여다봐야 하고, 마음에 남는 대사가 있다면 영화가 끝날 때까지 잊어버리지 않기 위해 속으로 몇 번이나 중얼거려야 하죠. 눈물이 차올라도 집중해서 스크린을 보기 위해 얼른 닦아버리고,

크레딧이 올라갈 때는 한 생애의 장례를 치르는 상상을 하기도 합니다.

소급할 수 없기 때문에 집중하게 되는 것들이 있어요. 영화 같은 일이에요. 저에게는 삶이 그러합니다.

늘보는 이따금 찾아와 제가 살고 있는 세상이 영화관이라는 걸 알려줍니다. 그때마다 제가 할 수 있는 일은 늘보의 초상화를 그리는 일이에요. 수많은 사건의 장례를 제 손으로 치르며 이 영화는 통 발전이 없군, 생각하기도 해요.

앞으로도 영원히 함께 살 늘보에게 이 소설을 주고 싶습니다. 잘 부탁한다고, 너의 존재를 알았으니 이건 뇌물이라고.

윤채연

몇 퍼센트의
자갈치

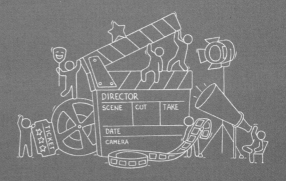

쿠키 영상

제법 수리적인 이야기

K는 어쩌면 누군가 엔딩크레딧을 올려주기를 바라고 있었는지도 몰랐다. 그건 이 지루하고 식상한 로맨스를 벗어날 기회를 기다리고 있었다는 뜻이다. 우리가 지쳐버렸다는 사실을 깨닫게 된 것은 여름의 끝자락이었다. 나와 K가 어떤 결말을 향해 다가가듯 영원할 것 같았던 여름도 다 끝나가고 있었지만, 그날의 햇볕은 여전히 뜨거웠고 외부 활동에 질린 나는 K와 함께 명동대성당 앞에 있는 한 극장에 앉아 있었다. 그리고 아마 나와 K의 친구이거나 친구가 아닌 많은 사람이 그 사실을 알고 있었을 텐데, K가 우리의 데이트를 인스타그램에 올렸기 때문이었다. 나는 K의 인스타그램 스토리 9:16 비율의 화면 속을 절반쯤 채우고 있는 영화 티켓을 보았고 그 티켓에 생각보다 많은 정보가 적혀있다는 것에 놀랐다. 그 사진을 조금이라도 오래 바라본다면, 내가 가지고 있는 영화관 포인트가 몇 점일지도 충분히 알 수 있었다.

아직 영화는 시작되지 않았고 나는 캄캄한 휴대폰을 들어 그 화면에 내 얼굴을 비춰보았다. 영화관 스크린이 밝아질 때마다 내 창백한 얼굴과 눈 밑에 그려 넣은 점 같은 것들은 스치듯 나타났다 사라지기를 반복했다.

영화 관람 중에는 휴대폰은 잠시 안녕.

곧 시작하려는지 거대한 스크린 속에서는 캐릭터가 영화관 주의사항을 안내하기 시작했다. 아무도 집중하지 않는 그 영상을 하릴없이 시청하다가 나는 문득 옆 좌석에 앉은 K를 바라보았다. 그는 휴대폰을 열심히 들여다보고 있었고 휴대폰의 불빛이 그의 얼굴을 밝게 비춰 K는 굉장히 이상한 조명을 받는 것처럼 보였다. 나는 영화관 앞쪽에 앉아 부산스레 밝은 빛을 비추며 자신들의 휴대폰을 들여다보는 사람들, 그들의 불빛을 보았고 이미 모든 알람이 꺼져있는 나의 휴대폰을 쥐었다. 휴대폰을 무음으로 두고 살아온 지 꽤 되었다. 나는 완벽히 무음으로 존재하는, 적어도 무음 모드를 해놓은 이 순간에는 이 세상의 모든 시끄러운 것들보다 가장 고요할 휴대폰을 내려다보았다. 결국 늘 휴대폰을 무음으로 두고 살아간다는 것은 영화가 시작하기 직전 어슴푸레 깔린 어둠 속에서 굳이 휴대폰의 시린 불빛을 맞으며 볼륨을 줄이지 않아도 괜찮다는 얘기고, 인스타그램에 해시 태그를 달고 스토리를 올리며 누군가가 나의 일상을 보고 거기에 반응을 남기는 것을 무기력하게 기다리지 않아도 된다는 이야기다. 나는 일주일하고도 이틀 전 지워버린 인스타그램을 은근하게 아쉬워하면서도 겉으로는 마치 전혀 그렇지 않은 양 매끈한 영화 포스터를 빈 옆자리 좌석 위에 올려두었다. 그것은 금방이라도 떨어질 것처럼 위태해 보였으나 그렇다고 그걸 영화 보는 내내 쥐고 있을 수도 없는 노릇이라 그냥 그곳에 두었다.

과자 꺼내줘. K는 고개를 숙여 나의 귓가에 속삭였다. 그의 입김이 목덜미에 닿을 때마다 소름이 돋아 목을 조금 움츠렸는데 나와 K 사이에 잠깐 존재했던 그 긴장은 분명 내가 K와 처음 영화를 보았을 때 느꼈던 설레는 무엇과는 완전히 다른 종류의 것이었다. 나는 가방 속에서 K가 몰래 넣어 두었던 자그만 자갈치를 꺼내 들었다. 과자의 얇은 비닐봉지가 부스럭거리는 소리는 커다란 스피커 음량에 묻혀 사라졌으나 K가 과자를 입 안에 넣고 이빨로 그걸 부수는 소리, 와그작 파삭 파사삭 같은 소리는 서라운드로 들렸다. 나는 영화관에 와서 팝콘을 사 먹지는 못할망정, 그러니까 팝콘값 얼마가 아까워서 편의점 봉지 과자를 몰래 들여와 먹는 K의 모습이 부끄러우면서도 무어라 말을 하지는 못했다. 그냥 누가 보아도 일행일 모습일 테지만 그와 조금이라도 떨어져 앉기 위해 엉덩이를 물리고 팔짱을 낄 따름이었다. 먹어봐. K는 불쑥 과자 하나를 집어서 건넸는데 K의 기다란 손가락에 잡혀있는 그 문어 모양의 과자는 다리 부분은 쪼개져 사라지고 둥근 대가리 부분만 남아 있는 채였다. 나는 저 낡고 쿰쿰한 과자 쪼가리를, 그것도 온전하지 않은 부스러기를 건네는 K를 흘끗 곁눈질로 바라보며 손을 살짝 밀었다.

슈퍼플렉스 관의 대형 스크린에서는 붉고 푸른 마블의 로고가 떠오르면서 예의 그 웅장하고 가슴 뛰게 하는 오케스트라의 음악이 퍼져 나왔는데, 다른 이들은 모두 그 강렬한 사운드에 온 감각을 빼앗긴 것이 분명해 보였으나 나만은 K의 와그작대는 삶의 소리가 너무나도 거슬려서 마음껏 그 새로운 세상에 푹 젖을 수가 없었다. 모두가 꿈속의 다른 어딘가를 유영하고 있는 것처럼 보이는 그 캄캄한 영화관 안에서 홀로 아주 지극히 현실인 순간을 견디고 있는 것은 참 외로우면서도 쪽팔린 일이었다. 나는 다시는 돌아올 수 없는, 이 영화를 처음으로 보게 되는 이 시간을 완벽하지 못한 기분으로 보내버렸다는 것이 아까워 참을 수가 없어졌으나 귓가에서 K는 아 너무 신난다, 따위의 말을 중얼거렸고 그 비린내 나는 목소리에 나는 어김없이 한숨을 쉬면서도 그치 그렇지 그렇네, 같은 말을 내뱉을 수밖에는 없었다.

영화를 다 보고 나서 K는 한참 동안 쌓인 연락을 처리하며 휴대폰을 쥐고 있었다. 나는 알림으로 빼곡한 K의 화면을 보았고 그가 답장하며 내는 타자의 일정한 타닥거림을 들었으며 그렇게 하나하나 어땠어, 그걸 이제야 보았냐, 하는 연락에 답장을 보내다 보면 영화의 여운 같은 것들이 너무 쉽게 날아가 버리는 것은 아닌가 하고 생각하며 나의 조용한 휴대폰을 만지작거렸다. 한 시간 하고 사십오 분의 러닝타임 동안 그 어떤 일도 처리할 필요가 없었던 나의 휴대폰은 싸늘하게 매끈했고 내 피부의 온도보다 훨씬 낮은 그 금속의 감촉은 참으로 적절한 고독의 온도였다. K는 거의 이십 분이 지나서야 내게 영화에 대해 물었고 나는 실망이라고 말했다. K는 웃는 건지 화가 난 건지 눈썹을 조금 찡그리고 말았다. 우리는 한동안 대형 쇼핑몰을 걸어 다니면서 먹을만한 가게가 있는지 둘러보았는데, 하필 더도 덜도 아닌 완벽한 저녁 시간이었고 이 딱 맞는 정각의 저녁 시간에 저녁을 먹으러 나온 사람들로 거의 모든 가게는 만석이었다. 내가 빈자리를 찾기 위해 다른 날카로운 눈빛의 사람들과 눈치 없는 눈치싸움을 하던 순간에 K는 마구 뛰어가는 남자아이를 피해 한 걸음 옆으로 물러서며 갑작스럽게 영화의 감상을 물었다. 왜 실망이야. 너 스파이더맨 팬이잖아. 나는 카레 전문점에서 풍기는 짙은 향신료의 냄새를 맡으며 인상을 찌푸렸다. 나는 앤드류 가필드의 팬이지 톰 홀랜드의 팬이 아닌데. 나는 말했다. 중요한 것은 얼굴도 보이지 않는 수트나 누구에게나 가 붙을 수 있는 히어로 네임이 아니라 그 안의 배우였지만 K는 그런 것은 이해하지 못하는 것 같았다. 나는 익숙하게 답답해졌으나 K가 이해하지 못하는 것, 때로는 안 하는 그런 것들은 무척이나 많았으므로 그를 설득하려 들지는 않았다. K는 어차피 다 스파이더맨이지. 너도 톰인 거 알았잖아, 했고 나는 그냥 토마토스파게티나 먹자고 했다.

우리는 비교적 한산한 싸구려 푸드코트 같은 양식집, 그러니까 만 육천구백 원짜리 카르보나라와 만 천 구백 원짜리 토마토 파스타를 파는 그곳의 끈적이는 테이블에 앉아서 점성이라고는 없이 무미건조한 대화를 나눴다. 잔뜩 불어서 이빨로 끊기도 전에 알아서 끊어지는 파스타를 씹으면서 빨대로 사이다를 쪽 빨아 마셨다. 사이다 안에 꽉 찬 탄산이 목구멍을 겨우 타고 넘어갔다. 순간 나는 K에게 이 이천오백 원짜리 무한 리필 사이다를 부어버리는 상상을 했는데 어쩌면 그렇게라도 해야 우리 사이가 조금은 더 끈적해질 것 같았기 때문이었다. 나는 K가 썰고 있는 스테이크와 그 옆자리에 놓아둔 작은 영화 포스터들을 보았다. 분명 새로 나올 영화에 대한 기대감에 챙겨왔을 포스터들은 너무도 쉽게 남겨진 채 사이다 컵 겉면에서 흘러내린 물방울에 젖어 이상하게 울고 있었고 K는 그걸 보면서 역시나 너무나도 쉽게 버려야겠네,

라는 말을 했다. 나는 사이다를 한 모금 마시며 무의식적으로 휴대폰의 알림을 확인했는데 알림난은 텅 비어있었고 따끔거리는 기포 덩어리들이 목구멍을 타고 흘러내려 뱃속은 부글거렸다.

K와 나는 다음 달에 개봉할 새로운 히어로의 영화를 함께 보기로 약속했으나 그 후로 우리는 한 달을 채 못 만났고 그 영화는 뒤늦게 개봉했다. 나는 비장한 표정을 짓고서 웃긴 코스튬을 입고 있는 히어로들을 보면서 K에게 그래도 영화는 함께 볼까. 약속했잖아 따위의 문자를 남겼고 매일같이 휴대폰을 붙들고 있는 K는 분명 메시지를 전송한 지 일 분도 채 되지 않아 나의 메시지를 보았을 것이 분명함에도 아무 대꾸도 하지 않고, 그렇게 그냥 씹어버렸다. 나는 1이 사라진 대화방의 메시지, 덩그러니 남겨진 말풍선 속 금방이라도 터져버릴 것 같은 나의 한마디를 보면서 숨을 들이마셨다. 초가을의 건조한 공기에 눈이 뻑뻑하고 목구멍이 따끔거렸다. 단풍잎이 떨어진 길거리를 걸으면서 나는 단풍잎 대신 노란 은행을 밟았고 그렇게 나는 K와 함께한 이 년의 연애를 끝냈다. 그리고 신발에 붙은 은행의 고릿한 냄새가 사라지기도 전에 나는 다시 인스타그램을 깔았다. 그것을 삭제한 지 정확히 한 달 하고도 이주만이었다.

그러니까, 그건 그저 그런 일이었단 말이야. 내 스파이디는 앤드류 가필드이고 개의 스파이더맨은 토비 맥과이어인 그냥 그런 일. 스크린 안에서 익숙하게 낯익은 붉은 쫄쫄이가 돌아다니고 우리의 스파이디가 거미줄을 쏘는데, 어라 가면을 벗으니까 그게 앤드류도 아니고 토비도 아닌 톰 홀랜드였던 거지. 그러면 우리는 다 실망하게 되는 거지. 아무도 즐거울 수가 없는 거지.

나는 계속 중얼거렸다. 뭔가 이해될 만한 이야기가 아님에도 말하는 것을 멈출 수가 없었다. 이 시골의 가을바람은 생각보다 쌀쌀했다. 어쩌면 지금 우리가 있는 곳이 바다 바로 앞에 있는, 그러니까 바닷바람이 계속해서 불어오는 그런 곳이기 때문인지도 몰랐다. 나는 조금 밍밍해져 버린 알밤 막걸리를 들이켰는데 그게 목구멍을 타고 내려가면서 자꾸만 어딘가 따끔거리는 느낌이 들었다. 달큼하고 들척지근한 막걸리의 맛, 코 근처에서 서성거리는 알밤의 구수함, 탄산의 시원한 거품. 명은 얇은 에쎄를 물고 죽 들이마셨다가 특유의 멍한 목소리로 그래서 헤어졌다고? 하고 물었다. 명이 말을 뱉을 때마다 불투명하게 흰 연기가 터져 나왔는데 나는 어쩐지 그 모습이 좀 웃기다고 생각했다. 그래. 그러니까 톰 홀랜드 때문에, 스파이더맨 때문에. 내가 대꾸했다.

나는 명이 빨아들이는 에쎄 체인지 일 밀리를, 가끔은 막대사탕의 손잡이로도 보이는 그것을 가만 바라보다가 명의 담배를 빼앗아 들어 한 모금 들이마셨다. 연기가 목구멍을 타고 들어갔다가 다시 튀어나왔고 나는 어김없이 기침했다. K가 너무 별 볼 일 없는 인간이라 헤어졌다는 것보다야 멋지잖아. 명은 대답하지 않았다. 실은 명은 나의 이야기를 제대로 듣고 있는 것 같지도 않았는데, 명은 딱히 집중하지 않고 있다는 그 사실을 숨기려는 노력조차 하지 않았기에 나도 그냥 별생각 없이 말을 뱉어낼 뿐이었다. 그런 의미에서 명은 꽤 좋은 대화 상대였다. 아무것도 제대로 듣지 않는다는 점에서. 때로는 누군가 내 말을 듣지 않는 것이 열심히 듣고 있는 것보다 더 나을 때가 있었다. 팔자에도 없는 목포의 공기는 생각보다 맑았고 바다의 별은 또 밝아서 정말 죽이는 분위기가 아닐 수 없는데, 어느 고요한 한옥에 앉아 있는 나는 막걸리에 취해 꼴불견이고, 한 세 걸음 떨어져 평상에 기대 있는 남자는 한때 나의 반짝이는 첫사랑이었던 명이었다. 갑자기 더할 나위 없이 답답해진 나는 아, 날씨 너무 좋다, 거의 소리를 함성을 괴성을 지르듯 울부짖었고 작은 소나무 위에 앉아 있었을 새는 푸드덕대며 떠났으며 명은 또다시 네 번째인지 다섯 번째인지 알 수 없는 에쎄를 꺼낼 뿐이었다.

나는 명을 가만히 뜯어보았다. 그러니까 술을 물처럼 마시던 빡빡머리의 명과 모든 일에 자신만만하던 공대생 명이 아니라 서른둘의 낡은 명은 고단하고 지겨워 보였으나 동시에 아무렇지 않아 보였다. 나는 고단하고 지겹다는 건 일상이니까 지금 명의 모습은 지극히 평범한 모습이란 것을 알고 있었으나 어쩐지 나와 명의 어린 시간이, 지금은 이렇게 말라비틀어져 버린 나도 명도 K도 지금보다야 조금 더 모든 것에 끈적할 수 있었을 어떤 순간이 그리워졌다. 그래서 명에게 그렇게 말했다. 아 그립다. 그때가 그립다. 명은 그때가 언젠데 하고 물었고 나는 몰라, 했고 명은 그렇다면 그때란 건 없는 것인지도 몰라 따위의 말을 했다. 나는 그런 명의 순간, 마치 예술가인 체하는 그 순간에 명에게 더 큰 친밀감을 느끼면서도 그를 조금 무시하게 되었는데 그것은 결국 명 또한 그저 체하는 사람이란 것을 알게 되었기 때문이었다. 나는 문득, 어쩌면 명이 더는 특별하지 않을지도 모르겠다는 생각에 사로잡혔다. 바람이 불어 명의 머리카락이 조금 날렸다. 그러나 그건 여전히 어떤 영화의 한 장면 같았다.

그리고 지금 이 순간을, 커다랗고 잘난 한옥에 앉아서 내게 일말의 관심조차 없지만 손은 적당히 굵어지고 옷은 적당히 깔끔하고 목울대는 적당히 매력적인 남자와 함께 실은 한 모금밖에 마시지 않았지만, 아무튼 술을 마시고 있는 이 나이스한 상황을 인스타그램에 올리고 싶어졌다. 내가 이렇게 잘살고 있다는 것을 문득 나를 알지도, 알지 못할지도 모르는 많은 사람에게 자랑하고 싶은 기분이었다. 어쩌면 그저 K에게 보여주고 싶은 걸지도 몰랐다. 잘살고 있다는 것. 그것을 어떻게 판단할 수 있느냐는 알 수 없는 문제였지만 아무튼 그랬다. 보여지는 것은 무엇을 보여주느냐 만큼이나 중요했다. 명, 인스타그램 해? 나는 어쩐지 조금 습한 바닷바람을 맞으면서, 그래서 아무렇게나 엉킨 머리카락을 정리해 넘기면서 물었다. 명은 그런 나를 잠깐 바라보다가 다시 더 멀리 바다로 고개를 돌렸고 아니. 사진은 오해하기 쉬우니까, 하고 대꾸했다. 마치 당연한 것을 묻는다는 듯한 명의 태도에 나는 어쩐지 조금 머쓱해져서 그래, 하고 말았다. 고여있던 침이 목구멍을 타고 뚝 곤두박질쳤다.

　나는 명의 가무잡잡한 피부와 담배를 물어 둥글게 말린 입술 같은 것들을 바라보면서 명 주변의 분위기는 언제나 익숙하다는 생각을 했다. 나는 카메라 앵글에 커다란 한옥과 마치 결코 의도하지 않은 듯이 교묘하게 보이는 명의 어깨 정도를 담아 사진을 찍어 그것을 인스타그램 스토리에 올렸다. 스토리를 올린 순간부터 나의 휴대폰은 계속 울렸고 나는 조금 안도한 채로, 언제고 심심해지거나 명이 집 안으로 들어가 버리는 순간이 오면 내게 쓸데없는 연락을 보내는 그들에게 돌아갈 수 있음에 한결 편안해진 마음으로 간지러운 손목을 긁었다. 모기에 물려 붉게 달아오른 손목 어귀는 금세 빨갛게 핏물이 배며 부어올랐다. 저 멀리서는 바람이 불었고 나무들이 서로 부딪히며 흔들리는 소리가 들렸다. 그렇지만 더는 불안하지는 않았다. 휴가 언제 끝난댔지? 명이 물었다. 그것은 마치 귀찮은 무언가를 치워내는 듯한 투라서 나는 조금 억울해졌다. 나도 여기 명이 있는 걸 알았다면 이곳에 오지는 않았을 것이었다. 나는 말없이 남은 막걸리를 들이켰고 명은 어김없이 연기를 뿜었다. 나는 가끔 캘룩거렸고 명은 간간이 옛 노래를 흥얼거렸는데 나는 그 소리를 들으면서 괜스레 평온해지곤 하는 일이었다. 명과 나의 이 기묘한 동거 생활은 열흘 전 시작되었다.

아저씨 저 목포 집에 일주일만 가 있어도 돼요? K와 헤어지고 나서 어쩐지 모든 것이 조금은 막막해진 나는 내게 지금 필요한 것은 휴가라는 것을 깨닫고 아버지의 친구인 한스케익 아저씨에게 물었다. 어떤 기념일마다 늘 고급스럽고 비싼 케이크를 사 오는 한스케익 아저씨는 한스 케이크의 캐릭터 한스처럼 허허 웃으면서 고개를 끄덕거렸다. 나는 그런 무해하고 허허거리는 아저씨의 미소를 보면서 내 주변의 날카롭고 예민한 많은 것들을 떠올렸고 사람을 온화하게 만드는 것은 돈이 아닐 수 없다는 것을 다시 한번 깨달았다. 그렇게 나는 성북구에 있는 피부과에 이 주간의 휴가를 냈다. 레드브라운색 머리카락을 깔끔하게 묶은 실장님은 불쌍하고 안타깝다는 양 자기, 헤어진 지 얼마나 됐지? 이번에 쉬면서 여행지의 로맨스를 꿈꿔봐, 했는데 하필 결혼 전 관리를 받고 있던 스물둘의 새신부가 그 말을 들었고 어머 김 실장님 애인이랑 헤어졌어요? 어머 어머 했고 그러자 결국 심심한 인간들 모두가 나의 이야기를 떠들어대기 시작했다. 일정한 간격으로 똑같은 베드에 누워서 미용 목적의 마사지를 받는 한 무리의 여자들은 어떤 면에서는 기괴한 분위기를 자아냈다.

그중에서 스물하나의 젊은 여자는 운명이 아직 안 왔나봐요 같은 말을 꿈꾸듯이 했고 나는 그냥 그 손님이, 그러니까 그 애가 진짜 꿈을 꾸는 중이라고 생각했다. 결혼을 코앞에 둔 채 매장에 온 신부들은 늘 어떠한 환상에 사로잡혀 있었다. 나는 그들을 대체로 멍청하다고 생각했으나 때로는 그런 맹목적이고 열정적인 무언가가 영 부럽지 않은 것만도 아니었다. 그럼에도 나는 그린 듯이 웃으면서 아유 참 그러게요. 호호호 하고 웃었고 휴가 기간 내내 서울에는 얼씬도 하지 말아야지 이 모든 시끄러운 것들에게서 멀어져야지 하는 다짐을 하고 차를 몰았다. 그렇게 나는 한스케익 아저씨의 목포 별장에 머무르게 되었던 것이었다. 그리고 그 별장에는 아저씨의 아들이자 나의 대학 선배인 명이 있었던 것이었고 우리는 모두 어느 정도 절박한 인간들이었기에 아무도 먼저 이 집에서의 짧은 휴가를 포기하지 않게 된 일이었다. 사실 별장은 꽤 넓었고 우리가 나눠 쓴다고 해서 퍽 문제가 되는 것은 아니었다. 그러나 막 K와 헤어진 나의 입장에서 풋내나는 사랑을 했던 명과의 동거는 썩 유쾌하거나 편안하지 못했다. 그러나 우리는 적당히 서로의 영역을 침범하지 않는 선에서 이주를 보내기로 했다. 고작 이주였으니까. 그리고 명은 내가 K를 더는 신경 쓰지 않는다는 사실을 아주 효과적으로 보여줄 수 있는 멀쩡한 남자였으니까.

내가 도착하기 약 이틀 전부터 이 별장에 머물기 시작했다는 명은 사진 동호회에서 막 도망쳐 나온 참이라고 했다. 서른여섯의 회사원과 스물셋의 여대생 둘 스물일곱의 사진 전공 남자와 스물아홉의 자칭 포토그래퍼 여자가 있는 그 사진 동호회는 여러 사이트에 올라온 것과는 다르게 순수한 사진을 찍는 것보다는 어떤 상대를 찾는 모임에 가까웠고 그것은 마치 어떠한 정글의 법칙을 연상케 했다. 지겹다 지겨워. 산다는 건 정글에서 살아남는 것과 마찬가지인 거지. 명은 그렇게 말했다. 나는 가끔 명이 아주 당연한 소리를 명언인 것처럼 이야기하는 면이 있다는 걸 깨달았다. 내가 명을 마지막으로 본 것은 이 년 전 나의 선배이자 명의 친구였던 누군가의 결혼식에서였고, 사실 그때도 명과는 인사만 하고 헤어졌으므로 이곳에서 명을 만났을 때 그를 단번에 알아보지는 못했다. 명은 머리가 아주 많이 길어 있었다. 명의 검은색 머리카락은 눈을 다 덮었고, 헐렁한 회색 추리닝을 입고 있었다. 사실 그때의 명은 거의 노숙자 수준이었고 일반적인 상황이라면 소리를 질러야 하는 쪽은 나인 것 같았으나 명은 나보다 먼저 아주 높게 소리를 질렀다. 그 비명을 듣고서야 나는 그가 명이라는 것을 알 수 있었다. 명은 언제나 아주 잘 놀라는 사람이었고 나는 다른 많은 것들이 변했지만 적어도 그런 부분은 변하지 않았다는 사실에 조금 놀랐다.

나는 명이 여전히 어떤 휴대폰 회사에 들어갔던 것으로 기억했지만 그 일은 때려치운 지 오래라고 했다. 가끔 사진을 찍었고 대부분의 시간에 여행을 다녔고 그렇게 찍은 사진을 간간이 잡지 같은 곳에 팔아먹으며 살았다고 했다. 나는 한 사람이 살아간다는 치열한 무언가를 설명하면서도 이렇게 많은 모호한 단어들, 가끔이라든가 대부분이라든가 간간이 같은 그런 단어를 사용할 수 있다는 것을 그때야 알았다. 누군가는 매일같이 온종일 쉴 새 없이 같은 수식어를 붙여야 겨우 성립되는 삶의 순간인데 또 다른 누군가에는 그저 적당한 세기로 흘러간다는 사실을 알게 되었고, 그러한 깨달음은 어딘가 허전한 것만 같은 기분을 동반했다. 아마도 그것은 내가 가질 수 없는 어떠한 부분에 대한 상실이었다.

명과 함께하는 목포에서의 휴가는 첫날의 비명이 무색할 정도로 고요했다. 거실의 전구가 가끔가다 깜빡거리고 모기는 자꾸 집 안에 침입했으나 아무리 문을 빨리 닫고 뚫린 방충망 구멍을 막아 봐도 소용없는 일이었고 나는 그저 어딘가를 긁어대는 일상에 익숙해졌다. 나는 느지막이 일어나 시내에서 황태 정식을 먹었고 가끔은 바다에서 사진을 찍었고 어김없이 그걸 피드에 올렸고 올라가는 좋아요 수를 가만히 바라보고 있었다. 저녁이면 라면을 끓여 먹거나 닭가슴살을 돌려먹었다. 명은 대체로 자기 방에서 나오지 않았다. 명과 함께한 막걸리의 밤 이후 명은 늘 그랬듯이 두문불출했고 나는 우리의 기묘한 이 주간의 휴가가 끝나는 마지막 날이 되어서야 명을 다시 만날 수 있었다. 그날의 날씨는 화창했고 바람은 적당히 불었으며 새는 거슬리지 않을 정도로만 짹짹거렸다. 어쩐지 너무나도 평범하고 평화로워서, 이상할 정도로 딱 알맞은 날이어서 나는 오래된 불안 따위를 느꼈는데 그것은 스크린 속에서 늘 고요한 시간 뒤에는 어떠한 괴물이 등장한다든가 천재지변이 일어난다든가 하는 익숙한 법칙에 따른 반응이었다. 그러나 삶은 늘 영화와는 달라서 우리의 고요를 해칠 무언가는 아무리 기다려도 나타나지 않았고 그 오래된 그림 같이 지루해져 버린 풍경 속에서 명은 무슨 일인지 밖 평상에 앉아 있었다. 명의 검은 머리카락이 바람에 가늘게 흔들거리는 것을 보며 나는 얇은 바람막이를 걸쳤다.

그냥 앉아 있기에는 입이 심심해서 나는 부엌에서 자그마치 이천팔백 칼로리의 대용량 자갈치를 가져와 평상 한구석에 앉았다. 아주 오랜만에 문득 자갈치를 좋아하던 K가 생각났다. 봉지를 열자 짭짤한 비린내가 훅 풍겼고 나는 그 징그러울 정도로 많은 자갈치 중 하나를 들어 입 안에 넣었다. 순간 코를 타고 어떤 맛이 스멀스멀 올라오는데 그것은 아마 조미료와 설탕과 소금을 비롯한 어떤 시즈닝이 분명했으나 나는 문어 맛과 문어 맛 시즈닝의 맛은 얼마나 차이가 있을까에 대해 생각해 보았고 그냥 그것을 뭉뚱그려 문어 맛이라고 하기로 했다. 자갈치의 분홍색 포장지 위에는 분명하고도 명백하게 문어 맛이라고 적혀있었으니까. 때때로 혀를 믿는 것보다 첨가물을 보는 것이 더 쉬운 해결책일 때가 있었다. 나는 침에 녹진하게 젖은 채 목구멍을 타고 흘러 내려가는 덩어리를 느끼며 왜 자갈치는 자갈치 맛이 아닐까 하는 생각을 잠깐 했다. 그러나 모든 것이 생긴 대로 살 수만은 없는 일이니까, 사실 보이는 게 다가 아니니까 같은 생각을 하면서 나는 자갈치는 문어일 수도 있다는 것을 이해하게 되었다. 사실 온 마음을 다해 이해할 수 있는 것도 아니었으나 그저 그러려니 생각할 수 있는 것들은 늘 있다. 자갈치와 문어, 명과 나. 이 가을의 휴가는 이상한 일투성이였으니까 하나쯤 더 추가된다고 해서 달라질 것은 없었다.

이빨 사이로 와사삭하고 부서져 내리는 밀가루의 집합은 금세 이도 저도 아닌 조각들로 분쇄되어 사라졌다. 옛날 맛이 안 나. 평상 한편에 자리하고 앉아서 카메라를 만지작거리던 명이 자갈치를 한 움큼 집어삼키고는 말했다. 지금은 밀가루 맛이 나잖아 하는 명의 말에 나는 자갈치는 원래부터 밀가루 맛이 났다는 당연하고도 당연하지 않은 사실을 내뱉는 대신 어김없이 자갈치를 삼켰다. 평상에 누워서 나는 흰색 덧신을 신은 발을 계속해서 까딱거렸다. 그것은 즐겁거나 리듬을 타기 위한 일은 아니었고 그저 날아다니는 파리가 발끝에 앉아 흰 양발 위에 얼룩처럼 남는 것을 더는 보고 싶지 않기 때문이었으나 어쩐지 자꾸만 꼼지락거리는 발은 내가 즐겁거나 설레어 보이게 만들었다. 나는 그것이 썩 마음에 들지 않으면서도 파리를 쫓는다는 별 볼 일 없는 진실보다는 차라리 어딘가 모르게 기쁘고 행복하게, 그렇게라도 보이는 것이 나은 일은 아닌가 생각했고 그런 나의 귓가에서는 어김없이 파리가 윙윙거리는 소리가 들릴 뿐이었다.

나 먼저 올라가게 될 것 같아. 맨 팔뚝에 닿는 옷감의 감촉은 적당하게 서늘하고 휴대폰의 알림음은 지루하지 않을 정도로 울리고 있는데 명은 느릿하고 고요해서 금방이라도 멈춰버릴 것만 같은 목소리로 중얼거렸다. 그래. 나는 제대로 닦지 않은 오른손 검지에서 미끄덩거리는 과자의 잔해를 느끼며 대꾸했다. 묻고 싶은 것들이 없는 것은 아니었으나 나는 부러 아무 말도 하지 않은 채 질척해진 과자 덩어리를 삼켰다. 명에게 어떠한 사적인 질문을 던지는 순간 유예기간이 분명했던 이 잠깐의 만남이 무기한으로 길어질 것만 같았기 때문이었다. 끝이 불분명한 관계라는 것은 늘 불필요한 감정들을 동반했다. 그렇기에 금방이라도 훌쩍 떠날 수 있는 명을 삶 속에 오래 늘어 붙여 놓는다는 것은 그리 현명한 일이 아니었다. 그렇지만 아무래도 언제쯤 다시 볼 수 있을지 알 수 없는 일은 조금 아쉬워서, SNS도 잘 하지 않는 명의 일상을 알기란 조금은 요원한 일이어서 나는 뭔가 조금은 특별한 엔딩을 만들고 싶었다. 명, 내가 머리 잘라 줄까? 내가 명의 하늘거리는 머리카락을 보면서 그렇게 물었던 것은 거의 충동에 가까운 일이었다. 명은 대답하지 않았다. 그리고 내가 그런 질문을 했다는 것을 거의 잊어버릴 무렵, 그래, 하고 대꾸했다.

사실 머리카락 같은 건 잘라본 적이 없어. 나는 오른손에 주방 가위를 쥔 채로 명의 뒤통수를 보며 말했다. 명은 고요하게 평상에 앉아 있었고 나는 무릎을 댄 채로 명의 머리를 만지작거렸다. 괜찮아 어차피 미용실에 가서 다듬기는 해야 할 테니까. 명은 손거울로 자신의 얼굴을 이리저리 비춰보았다. 이곳저곳을 비추는 거울 속에서 나는 가끔 명의 눈을 마주칠 수 있었다. 나는 가위를 들어 자꾸만 미끄러지는 명의 얇은 머리카락을 조금씩 잘랐다. 사락거리는 소리와 함께 짧은 머리카락들이 바닥에 떨어지고 플로럴 향 샴푸 냄새가 풍겼다. 돌아가면 뭐 해? 내가 물었다. 명은 글쎄 다시 일을 알아봐야지. 이제 놀 만큼 놀았으니 다시 정착해야지, 하고 이런저런 계획에 대해 떠들었는데 나는 머리카락을 자르는 데 집중하느라 명의 이야기는 제대로 듣지 못했고 과감하게 잘라본 머리카락이 영 쥐 파먹은 듯 보여 그만 웃어버리고 말았다. 명은 자기 머리 가지고 이상한 짓 하지 말라고 한 소리 하고는 문득 너 늙은 것 같아, 라고 말했다. 옛날처럼 이상하게 안 웃어. 되게 점잔빼면서 웃어. 나는 짜증 나는 소리 하지 말라며 명의 머리카락을 잡아당겼다. 바람이 훅 불며 내가 자른 명의 짧은 머리카락이 눈에 들어가 버렸고 그걸 뺀다고 눈을 막 비비다 보니 눈물이 찔끔 나왔다. 명의 머리카락은 어디는 길고 어디는 짧아서 참 이상한 모양새였고 나는 그걸 보며 웃고 싶었지만, 다리가 저려서 웃는 듯 마는 듯 모호한 표정밖에 지을 수가 없었다. 명은 제법 마음에 든다며 웃었다.

다음 날 아침, 나는 유난히 고요한 한옥의 허전함을 느꼈고 명이 떠났음을 본능적으로 알 수 있었다. 나는 새벽 공기를 맞으면서 평상에 나가보았는데 마당 한구석에 심어진 소나무 뒤로 새파란 바다가 보였고 바다는 햇빛을 받아 반짝거렸으며 명은 어디에도 없었다. 평상 아래에는 명이 밤새 피웠을 기다란 에쎄만이 수북하게 남아 있을 뿐이었다. 그 더미는 이미 다 타버렸음에도 매캐한 냄새가 나는 듯했다. 그렇게 나는 홀로 남은 며칠을 보내고서 집으로 돌아가기 전에 어질러진 집을 치웠다. 그러고는 소파 밑에서 어느 날 TV를 보며 먹었던 과자봉지를 발견했고 문득 궁금해져서 인터넷에 과자 자갈치를 검색해 보았는데 그 과자에는 사실 자갈치가 일 퍼센트도 들어가지 않았다는 것을 알게 되었다. 나는 어쩐지 속은 것 같은 기분이 들었으나 나의 휴가는 오늘로 끝이 났고 휴대폰은 어김없이 다시 울렸기 때문에 그리 오래 기분이 나쁘지는 않았다. 나는 다음 주의 스케줄표, 두 명의 신부와 세 명의 단골의 예약을 보면서 채 다 먹지 않은 과자봉지를 넣으려 쓰레기통을 열었다. 이 쓰레기통은 사용하지 않았던 터라 명의 검은 머리카락이 그대로 남아 있었는데, 나는 어떤 사체 같아 보이는 그 잔해 위에 자갈치 봉지를 던져 넣었고 바스락거리는 분홍 봉지와 얇은 머리 카락은 어떤 암시를 하고 있는 의미심장한 장면처럼 보여 나는 그제야 지난여름 나와 K가 보았던 영화의 엔딩크레딧 이 드디어 마지막까지 올라가 버렸음을 깨닫게 되었다.

끝나지 않을 것 같았던 여름이 끝났던 것처럼 가을은 쉽 게 겨울이 되었다. 나는 다시 환상 속에 사는 신부들의 피부 를 만졌고 더는 그들을 멍청하다고 생각하지 않을 만큼 많 은 마음을 회복했으며 썩 괜찮은 레스토랑에서 핏물이 배 어 나오는 스테이크를 썰며 인스타그램에 게시물을 올렸다. 돌아온 겨울에는 눈이 지독하게 내렸다. 휴대폰 속 사람들 의 스토리에서는 새하얀 눈이 꽃잎처럼 흩날렸으나 길바닥 에 녹은 눈은 새카매진 채 기분 나쁘게 질척거릴 뿐이었다. 겨울의 추위에 붉게 달아오른 손가락으로, 계속해서 갱신되 는 알림을 보면서 머플러를 여몄다. 나는 캐럴이 흘러나오는 명동의 거리를 걸으며 크리스마스를 맞아 수천 개의 조명 으로 화려하게 꾸며진 신세계백화점을 휴대폰 카메라 속에 담았는데 작은 휴대폰 화면 안에서 보이는 신세계백화점의 조명들은 어지럽게 번져가고 있었다. 크리스마스 장식을 단 이 백화점은 이번 크리스마스의 가장 큰 트렌드를 차지하고 있는 만큼 사람들에게서 많은 관심을 받고 있었다. 이 백화점을 보기 위해서 명동까지 온 사람들, 번잡한 거리를 거닐던 사람들이 일제히 멈춰 휴대폰을 집어 드는 일에는 기괴하면서도 아름다운 면이 있다는 생각을 했다. 일제히 반짝거리는 불빛. 찰칵거리는 소리. 나의 흰 구두는 젖어 축축해진 지 오래였고 얼어붙은 목구멍은 조금 칼칼한 듯싶었으나 도심 한복판의 거대한 불빛은 꽤 낭만적으로 동떨어진 것이어서 그것을 바라보고 있을 수밖에는 없었다.

연말의 설렘과 들뜸으로 가득한 사람들의 목소리를 들으며 나는 인스타그램에 온 새로운 알림을 보았는데 그것은 @M_photo라는 사람이 나를 팔로우했다는 알림이었고 들어가 본 그 사람의 프로필에는 카메라로 얼굴 절반을 가린 명이 있었다. 14명의 팔로워와 48명의 팔로잉. 문득 집에 돌아가려면 또 한참을 걸어야 한다는 사실이 떠올랐다. 축축하게 젖어 얼어버린 발이 따끔거렸고 나는 그저 아주 현실적으로 피곤해졌다. 인스타그램 속의 명은 브랜드의 로고가 선명한 차 키를 손에 들고 나타났다. 나는 습관적으로 좋아요를 누르며 명의 아주 단정한, 짧은 머리카락을 보았고,

그리고, 그냥 집에 가기로 했다. 돌아가는 나의 뒤로 백화점의 조명이 색을 바꾸기라도 했는지 사람들은 다 같이 탄성소리를 내었지만 돌아보지는 않았다.

쿠키 영상
제법 수리적인 이야기

1.   도대체 어떤 말을 적어야 할지 모르겠다.

2.   나는 소설을 좋아한다. 내가 대체로 가지고 있는 삶의 태도처럼, 그런 척 아닌 척 그리고 모른 척을 할 수 있기 때문이다. 나는 늘 어떤 척을 하면서 살고 아무래도 대부분의 사람 또한 그런 것 같다. 뭐든 백 퍼센트일 수는 없는 일인데 백 퍼센트인 것들은 너무나 많고 그렇다면 누군가는 그렇지 않은데 그런 척을 하고 있다는 뜻이다.

3.   나는 영화를 좋아한다. 예술 영화를 좋아하는 사람이 되고 싶지만 안타깝게도 그렇지는 않고 남들이 좋아하는 영화들, 보편적인 사람들이 보편적인 사건을 겪고 보편적인 감정을 보여주는 영화를 좋아한다. 스파이더맨 시리즈도 내가 정말 좋아하는 영화에 속하는데, 스파이더맨을 보고 나서 든 생각은 스파이더맨은 몇 퍼센트 정도 맨일까에 대한 것이었다. 스파이더맨은 대체로 그냥 맨이지만 아마 그의 인생에서 가장

중요할 순간들에는 스파이더이고 소설 속에 등장하는 자갈치는 사실 '맛도 모양도 문어!'지만 대부분에겐 그냥 자갈치다. 그렇다면 스파이더 맨은 몇 퍼센트 정도 맨이며 자갈치는 몇 퍼센트나 자갈치고 내 휴대폰 은 명은 그리고 나는 몇 퍼센트 정도 이것이고 몇 퍼센트 정도 저것인 걸까. 뭐 이런 생각을 하면서 썼다.

4. 우리 언니는 대체로 나보다 많은 것을 안다. 뭣도 없는 것들이 자 존심을 부리는 거야. 언니가 그랬다. 그건 정말 맞는 말이다. 몇 퍼센트 의 자갈치에서 나는 애인과는 막 헤어지고 옛 첫사랑이 실은 전혀 특별 하지 않은 사람이었다는 걸 알아버리게 된, 굉장히 외롭고 건조하고 텅 빈 사람인데 그렇게 격렬하게 외로워하거나 슬퍼하지는 않는다. 사실 그건 내가 정말로 외롭기 때문이다. 뭣도 없는 사람이라서 자존심을 부 리기 때문이다.

5. 나는 보통 사랑 이야기를 쓴다. 이 소설에는 실패한 사랑밖에 없지 만 그래도 사랑이 있으니 사랑 이야기이고, 영화라고는 스파이더맨밖 에 없지만 그래도 이 모든 것이 영화에서 시작했으니 영화 이야기이다. 사실 그런 척하고 있다.

이서연

웃지 않는
마음으로

쿠키 영상

"너 해운대 좋아하잖아."

정혁은 내 말의 의중을 알아채지 못한 듯 한쪽 눈을 찡그렸다. 나는 그에게 몸을 살짝 숙여 속삭였다. 그거 해운대에서 열려.

어쩌면 정혁은 해운대 바닷가를 보며 수천 명의 인파가 메가 쓰나미에 휩쓸리는 상상을 할 수도 있고, 물이 들어찬 엘리베이터에 갇혀 발버둥 치는 엄정화에 몰입할 수도 있고, 겔포스 대신 샴푸를 들이마셨다 거품을 물고 응급실에 실려 가던 설경구를 떠올리며 낄낄거릴 수도 있을 것이다. 실은 정혁이 「해운대」를 그만큼이나 좋아하긴 하는지도 나로서는 알 수 없었으나 어찌 됐건 부산국제영화제의 개최지가 해운대라는 건 행운이었다.

동아리에서는 영화제 개막일에 맞춰 부산으로 당일치기 워크숍을 기획했다. 정혁이 워크숍에 동행한 것은 「해운대」

때문일 수도, 해운대 때문일 수도, 혹은 둘 중 무엇 때문도 아닐 수도 있겠으나 결과적으로 정혁은 영화의전당 야외광장에 앉아 저와는 조금도 어울리지 않는 독립 예술 영화를 보고 있었다. 대형 스크린 위로 빼빼 마른 카디건 차림의 여자가 잠실대교를 거닐었다. 여자는 화장기 없는 얼굴을 하고 버석한 목소리로 대사를 읊조렸다. 언니. 원래 자기 방 냄새는 못 맡는다고 하잖아요. 근데 나는 냄새가 났어. 비릿한 냄새가요. 영화는 반말과 존대를 섞어 쓰며 당최 의도를 알아먹을 수 없는 대사를 러닝타임 내내 중얼거리는 레즈비언들의 사랑 이야기였고, 감독의 작품 세계는 내가 이해하기엔 너무 난해했다.

옆에 앉은 정혁을 돌아보았다. 예상과는 다르게 정혁은 손에 턱을 괴고 제법 진지한 낯으로 스크린을 보고 있었다. 서너 초쯤 지났을까, 정혁은 대뜸 입을 열었다.

"누나."

비장한 얼굴로 그는 말했다.

"뭔 소린지 하나도 모르겠어요."

바람 빠진 웃음이 절로 새어 나왔다. 정혁은 그때야 고개를 돌려 나와 눈을 맞췄고, 이내 작게 킥킥댔다. 앞줄에 앉아 있던 재인이 뒤돌아 정혁과 나를 번갈아 보았다. 목소리를 낮추라고 언질을 주려나 싶었는데 재인은 아무 말도 않고 뒤돌아 영화에 집중했다. 정혁은 바지 뒷주머니에서 아이폰을 꺼내 밀린 알림들을 확인하기 시작했고 영화가 끝날 때까지 스크린에 시선을 주지 않았다.

신입 회원 환영회에서 정혁은, 가장 좋아하는 영화가 무엇이냐는 질문에 잠시 고민하다 답했다.

"어…… 해운대?"

십여 분 전까지만 해도 장 뤽 고다르의 초기작들에 주로 적용되던 영화 문법에 대해 열띤 토론을 벌이던 동아리원들은 대꾸할 말을 잃을 수밖에 없었다. 나는 그 영화를 보지 않았지만 정혁의 대답이 때와 장소에 부적절하다는 것쯤은 알 수 있었다. 삽시간에 썰렁해진 고깃집의 공기를 수습하듯 누군가 이유를 물었다. 그 자리의 누구도 생각지 못한 종류의 예술적 고찰이라도 있기를 바라는 눈치였다. 정혁은 그런 기대 같은 것은 알지도 못한다는 듯 또 어…… 하더니 대꾸했다.

"그냥, 재밌던 것 같은데요."

그날 재인은 접이식 매트리스에 누워 새벽 네 시가 되도록 열변을 토했다. 재인은 그 영화의 허술한 컴퓨터그래픽과 얼토당토않은 과학적 고증은 둘째 치고 감독의 나태한 태도에 열이 받는다고 했다. 재인은 온갖 상투적인 사연으로 범벅된 신파 서사가 감독의 게으름을 보여준다고 했고, 쓰나미가 들이닥치자 모든 갈등이 단번에 해소되는 영화의 구조를 지적했고, 이렇게까지 단 한 명의 인물도 제대로 구축되지 않은 영화는 보기 드물다고 화를 냈다. 그중에서도 재인은 불꽃놀이 씬을 최악의 장면으로 꼽았다. 불꽃이 터지는 타이밍에 맞춰 설경구가 미니 요트 위에서 하지원에게 무릎을 꿇고 반지와 함께 프러포즈를 하는 장면이랬다.

"그때 설경구 대사가 뭐였는지 알아요? 연희야! 내 아를 낳아도! 세상에 어떤 정신 나간 여자가 그런 멘트에 넘어가서 결혼을 할까 싶었는데, 그게 하지원이더라고."

재인의 이야기는 「해운대」가 흥행할 수 있었던 건 씨제이가 배급과 제작을 도맡았기 때문이라는 것으로 넘어가 스크린 독과점에 대한 분노로 이어졌다가, 종내엔 아무리 상영 시간표가 씨제이 영화로 가득 차 있다고 해도 그걸 또 봐주는 대중을 향한 비난으로 마무리되었다. 재인은 대뜸 재미있다는 투로 말했다.

"그러니까 해운대를 좋아하는 애가 우리 동아리에 들어왔단 거죠."

재인은 저보다 한 살 많은 정혁을 애라고 불렀는데 그게 하나도 이상하지 않았다. 나 역시 그날 정혁을 처음 봤음에도 그를 애라고 부르고 싶었다.

술기운은 오를 대로 오르고 뒤풀이 자리가 마무리될 즈음에 누군가 정혁에게 다시금 물었었다. 너는 해운대에서 대체 뭐가 좋았던 거냐? 정혁은 대답했다.

"이민기가 진짜 멋있게 나오잖아요. 칼 딱 꺼내 들고, 그 헬기 밧줄 팍 끊어가지고, 뭔지 알죠?"

정혁은 제 손목시계를 풀러 옆에 앉은 선배에게 건네며, 이민기의 대사를 따라 했다. 저기요, 이거 저⋯⋯ 위에 있는 희미 씨한테 좀 전해주지요. 정혁의 목소리는 이민기와 조금도 비슷한 구석이 없었지만 과장된 경상도 사투리와 잔뜩 일그러진 얼굴이 제법 웃겼다. 정혁은 으어어 하며 우는 소리를 냈는데 눈물은 한 방울도 나오지 않았다. 그리고 이내 태연한 낯으로 불판 위 바싹 마른 삼겹살 한 점을 집어 입에 넣었다. 동아리 사람들은 「해운대」는 싫어해도 정혁의 이민기 성대모사는 마음에 들어 했다. 나 역시 그의 원초적인 개그에 웃음을 참지 못했고 요란스럽게 손뼉을 쳐대며 깔깔거렸다. 나는 그 영화를 보지 않았어도 이민기 성대모사가 웃겼지만 영화를 본 사람들만큼은 즐기지 못하고 있다는 생각에 억울하기까지 했고, 재인의 자취방에서 돌아온 이튿날 넷플릭스에서 영화를 틀었다. 정혁의 말대로 이민기는 정말 멋있었다.

저번 학기 환영회에서 나 역시 같은 질문을 받았었다. 난 세기말에 흥행했던 한 영국 로맨스 영화 제목을 댔다. 동네에서 소박한 책방을 하는 남자 주인공과 톱 여배우가 사랑에 빠지는 스토리였다. 나는 현실에 없을 법한 얘기긴 해도 영화 속 사랑이 정말 낭만적이라고 생각한다는 부연 설명까지 덧붙였다. 나중에야 알게 됐지만 그 영화는, 잘 만든 작품이라는 것만은 비평가들이나 영화 애호가들 사이에서 이견이 거의 없었던 덕에 그럭저럭 받아들여지긴 했지만, 동아리 사람들이 즐겨 보는 독립 영화나 예술 영화와는 결이 달라도 너무 달랐고 그 사실은 나를 조금은 창피하게 만들었다.

나 역시 정혁만큼은 아니어도 영화에 대단한 일가견이 있는 사람까지는 못 되었다. 취미가 뭐냐는 숱한 질문에 적절한 대답이기에 영화를 좋아한다고 말하게 되었는지도 모른다. 영화는 무어라 더 설명할 필요가 없을 정도로 평이하면서도 적당히 수준 있는 여가 활동이었다. 수학과라는 이유만으로 생기는 어딘가 정 없고 메마른 사람이라는 인상을 깨기에도 좋았다. 감성적이라는 게 대체 무엇인지 도통 알 수 없지만 나는 때때로 감성적이었고 낭만을 필요로 했다. 도서관에 앉아 미분기하학 문제를 풀면서도 살아감에 있어

예술이나 철학 같은 것이 중요하다고 믿었다. 그렇게 믿어야 할 것 같았고 또 믿고 싶어서, 나는 영화를 종종 봤다.

한국의 천만 영화들을 보며 영화가 현실성이나 디테일 따위는 전혀 고려하지 않은 이야기로 관객에게 억지스러운 감동을 강요하고 있음을 알아챘지만 그럼에도 스크린 속 류승룡과 함께 엉엉 울었다. 집 앞 씨지브이에서 그때그때 재밌다고 입소문이 난 영화들을 주로 봤지만 가끔은 4호선을 타고 이수에 가서 메가박스 아트나인에만 걸린 인디 영화를 보기도 했다. 어떤 영화는 조금도 이해되지 않았고 어떤 영화는 이해가 되지 않아도 봤다는 사실만으로 나쁘지 않은 기분을 느끼게 했다.

재인은 종종 나와의 첫 만남을 회상할 때면 우수에 찬 눈으로 말하곤 했다.

"언니 그날 진짜 귀여웠는데."

재인은 그런 아기자기한 영화를 좋아하는 게 참 언니다웠다고 말했다. 재인은 그날 내게 로맨스 영화를 좋아하는 것이냐고 물었다. 나는 좋아하는 장르로 로맨스를 댈 정도로 내가 로맨스를 좋아하는지 확신이 서지 않았다. 그러나 아니라고 답하기엔 좋아한다고 말할 수 있는 다른 장르가 생각나지 않았기에 그렇다고 답할 수밖에 없었는데, 어쩐지 로맨스를 좋아하는 사람이고 싶지 않아 짜증이 났다. 재인은 슬며시 웃으며 말했다.

"나도 좋아하는 로맨스 있는데. 오늘 우리 집 와서 봐요. 어때요?"

이름 모를 영화들의 포스터가 벽면 사방에 붙은 재인의 자취방에서 우리는 프랑스 영화를 하나 보았다. 영화는 어딘 가 불친절했고 장면들이 툭툭 끊기며 연결이 매끄럽지 않았 는데 재인은 그 점이야말로 이 영화의 매력이라고 말했다. 철저한 논리 구조 아래 구축된 서사 속에서 직관적으로 전 달되는 무언가가 있다고도 했다. 음악회에서 한때 사랑했던 이를 목도하는 엔딩씬에서는 비발디의 <사계>가, 그중에서 도 <여름> 3악장이 삽입되었다. 연주는 너무 격렬했던 나머 지 주먹만 한 블루투스 스피커를 통해 듣는데도 소리에 집 어삼켜질 것 같았고 조금은 공포스럽기까지 했다. 옛 연인 을 응시하는 배우의 눈을 클로즈업하며 페이드아웃되는 마 지막 연출에 다다라서는 속이 울렁거렸다.

새벽 세 시가 다 되어 잠에 들기 전 재인은 화장실 찬장 에서 새 칫솔 하나를 뜯어 건네며 말했다. 그거 안 버릴게요. 나는 집에 돌아가서야 그 말의 진의를 이해했고, 재인의 우 회적이고 간접적인 화법이 세련되었다고 생각했다. 재인이 하는 말들은 말이라기보다는 대사 같았다. 문장 너머에 어 떤 상징이 숨어있는 대사 말이다. 나는 다음 주 수요일에도,

그다음 주 수요일에도 동아리 뒤풀이가 끝나면 재인이 버리지 않은 칫솔을 쓰러 재인의 자취방에 갔다.

　재인은 중학교 때부터 영화를 보기 시작했다고 했다. 분명 그 이전에도 영화를 본 적이 있긴 할 텐데도 재인은 그렇게 표현했다. 지금 와서는 감상이 좀 달라졌긴 하지만 열다섯 살에 씨지브이에서 재개봉한 「레옹」을 보고 미장센이라는 게 무엇인지 알게 됐다고 했다. 불어불문학과에 온 것 역시 그 영향이 컸고, 졸업 후엔 통번역대학원으로의 진학을 생각 중이랬다. 재인은 한국에 들어오지 않은 프랑스 명작들이 셀 수 없이 많은데도 할리우드 영화는 관객 좀 들었다 하면 수입부터 하고 보는 게 재수 없다고 말하며, 언젠가 번역하고 싶은 프랑스 영화의 제목들을 몇 개 읊었다. 주로 '드', '르', '쥬' 같은 소리가 나는 것들이었다. 재인의 입에서 나오는 소리를 혼자 따라 해보고 싶었지만 재인과 헤어지고 나서는 발음이 정확히 기억나지 않았다. 어릴 적 영어학원에서 쉐도우스피킹을 배울 때처럼 재인이 말을 하면 함께 혀를 굴려 보면 될 것도 같았는데 말이다. 때때로 집에서 과제를 하다 말고 구글 번역기를 켜보기도 했다. 마땅히 떠오르는 문구가 없으면 노래 가사를 생각나는 대로 입력했다. '비가 내리고 음악이 흐르면 난 당신을 생각해요.' 그런 가사들은 꼭 프랑스 영화 같았다. 난 당신을 생각한다는 말은 불어로

'쥬 프어쎄 투아'였다. 이런 발음이 아닌 것 같지만 여러 번 따라 해봐도 그게 최선이었기에 나는 자꾸만 곱씹을 수밖엔 없었다. 쥬 프어쎄 투아, 쥬 프어쎄 투아 하다 보면 어떤 밤들은 너무 빨리 지나가기도 했다.

재인은 새벽마다 접이식 매트리스에 비스듬히 기대어 포카칩을 씹으면서 알프레드 히치콕의 생애와 그의 영화가 어떻게 연결되고 또 단절되는지, 「인터스텔라」와 「다크 나이트 라이즈」를 관통하는 크리스토퍼 놀란의 렌즈는 무엇인지, 봉준호는 왜 자꾸만 송강호를 선택할 수밖에 없는지 이야기하곤 했다. 그런 이야기를 할 때면 재인은 꼭 끝이 바깥으로 뻗친 중단발의 새까만 머리칼을 뒤로 거칠게 쓸어 넘겼고, 포카칩 한 봉지를 다 먹어갈 때쯤엔 이제 양치를 하자고 했다. 그러면 우리는 거울 앞에 나란히 선 우리의 모습을 열심히 바라보면서 칫솔질을 하고서 나란히 누워 잠에 들었다.

아침이 밝으면 나는 집으로 돌아가 재인이 전날 밤 언급한 영화들을 보았다. 여전히 이해할 수 없는 장면과 촬영 기법투성이였지만 각종 OTT의 시청 기록이 늘어날수록 재인의 매트리스 위에서 알아들을 수 있는 이야기가 늘어나는 기분이었고 그건 분명한 성취감을 줬다.

그리고 「해운대」는 동아리에 들어온 이래 본 영화 중 가장 직관적이고 단순했다. 영화는 여러모로 구렸지만 이민기가 멋있다는 것만큼은 분명했다. 이민기는 쓰나미가 들이닥쳐 바다에 빠진 상대 여배우를 맨몸으로 구조하는 와중에 '근데 뭐 하나 물어봐도 돼요? 점마랑 약혼한 거 맞아요?'하고 물었고, 여자는 바닷물을 잔뜩 먹은 탓에 숨을 헐떡이며 겨우 답했다. '무슨 소리예요! 잘 알지도 못하는 사람인데!' 이민기는 파도에 잠겨가면서도 '저 개새끼가 저게!'라고 소리치며 웃었는데 그 웃음은 너무나 애 같았다. 나는 이민기처럼 '저 개새끼가 저게!' 하며 해맑게 웃는 정혁을 상상했다.

야외광장에서의 개막작 상영이 끝나고 우리는 돼지국밥 집에 갔다. 몇몇 동아리원들은 침을 튀겨 가며 영화에 대한 감상을 늘어놓았다. 요즘 트렌드에 맞긴 한데 개막작일 것까진 없잖냐. 씬 연결이 너무 헐거워. 그래도 작년 것보단 낫지. 그거는 진짜 구렸어. 난 완성도만 보면 작년이 차라리 낫다고 본다. 아이씨, 말이 되는 소리를 해. 목소리가 점점 커지자 조용히 듣고 있던 재인이 나지막하게 한마디 했다.

"속 개막작 그 후."

그건 재인이 즐겨 하는 개그였다. 영화 「양들의 침묵」은 아카데미에서 그랜드 슬램을 달성한 수작이었으나 옥의

티랄 게 있다면 그건 멋대로 쓰인 후속편일 것이다. 길 가는 이를 백 명씩 붙잡고 물어도 아무도 이름을 들어본 적 없을 게 분명한 한 한국 출판사가 영화의 후속작이라며 발간한 책은 '속 양들의 침묵 그 후'라는 제목을 달고 나왔다. 그 내용은 괴기하기 짝이 없었다. 한니발 렉터가 탈옥한 이후 연쇄살인이 벌어지는데, 피살자들은 모두 170센티미터의 키에 긴 음모를 가진 여자들이었으며, 살인사건의 범인은 렉터가 만들어 낸 괴생물체였다는 스토리다. 재인은 원작과는 달리 황당무계한 방향으로 흘러가는 후속작들을 부를 때 이 제목을 인용했다. 이를테면 재인은 「엽기적인 그녀 2」의 도입부에서 전지현이 돌연 비구니가 되어 차태현을 떠나는 장면을 언급하며, 그건 엽기적인 그녀 투가 아니라 '속 엽기적인 그녀 그 후' 수준이었어, 했다. 재인의 '속 어쩌고 그 후' 개그는 점점 변형되고 남용되어 무언가 일을 망쳤거나 계획이 어그러졌을 때 쓰이기도 했다. 중간고사를 치른 후 학식당에서 치즈돈가스를 베어 물다 말고 '속 중간고사 그 후'라고 읊조리거나 지도 교수와의 개인 면담에서 전공과목 학점을 지적받고서 내게 전화를 걸어 '속 교수 면담 그 후'라며 분노하는 식이었다.

　어쨌든 재인은 개막작이 마음에 들지 않았다고 말하고 있었다. 영화가 작년 개막작보다도 별로였다고 열변을 토하던 선배 하나가 반색하며 철제 테이블 위로 젓가락을 소리 나게 내려놓았다. 거봐, 내가 말했지. 그는 재인과 주먹을 맞부딪히려 했으나 재인은 신호를 알아채지 못하고 물을 들이켰다. 뒤늦게 선배에게 미안하다는 제스처를 취하는 재인의 낯은 조금 피곤해 보였다.

재인과 선배가 몇 마디 주고받는 동안 나는 정혁의 눈치를 살폈다. 정혁이 '속 어쩌고 그 후' 개그를 이해할 수 있을 리 없었다. 나는 어쩐지 정혁에게 미안해졌고 그가 안쓰럽다고 느끼기까지 했지만 동시에 그런 걱정이 하등 쓸모없다는 것도 알고 있었다. 정혁은 한 손에는 휴대폰을 든 채로 왼쪽 다리를 덜덜 떨며 허겁지겁 국밥을 먹고 있었다. 양념장을 많이 넣어 벌게진 국물에 밥 한 숟갈을 푹 담갔다 뺀 다음 그 위에 머리 고기 한 점을 올렸다. 정혁은 방금 전 재인이 소위 말하는 시네필들만 이해할 수 있는 농담을 던졌다는 사실을 전혀 알아채지 못하고 있었다. 알아채지 못했다는 말조차 적절하지 않을지도 몰랐다.

"와. 맛있네."

펄펄 끓는 뚝배기에 수저질을 하다 말고 정혁은 대뜸 감탄했다. 이건 다대기를 무조건 넣어서 먹어야 돼요, 누나. 제 앞에 놓인 종지 그릇을 손가락으로 가리키며 말하는 투는 그 식당에 앉은 사람 중 가장 진지할 것 같았다. 그러자 어쩐지 레즈비언들의 사랑에 인과성이 부족했다느니 배우들의 딕션이 하나같이 거지 같았다느니 딕션이 아니라 음향 자체가 문제였다느니 하는 말들은 돼지국밥에 무조건 넣어 먹어야 하는 다대기에 비해서는 한없이 같잖고 효용성 없는 것처럼 느껴졌다. 나는 진득한 양념장을 한술 크게 떠 허여멀건한 국물에 풀어 넣었다. 내가 양념장을 넣은 걸 눈으로 확인하자마자 다시 고개를 처박고 밥을 먹는 정혁의 꼴이 정말 웃겼다. 정말 웃겨서 나는 또 끽끽대며 웃었다.

재인은 인물의 행동이나 눈빛을 보고 감정선의 변화를 읽어낼 줄 알았다. 사람의 얼굴 너머 무언가를 포착하는 능력이 재인에게는 있었다. 재인은 「라라랜드」를 썩 좋아하지는 않지만, 정확히는 영화의 퀄리티에 비해 너무 고평가된 탓에 정이 가지 않는다고 했지만, 그 영화의 마지막 장면에 대해서는 종종 말하곤 했다. 이별 후 몇 년이 흘러 우연히 재회하게 된 엠마 스톤과 라이언 고슬링이 서로를 바라보며 미소 짓는 장면을 마지막으로 영화는 막을 내린다.

"그게 뭘 의미한다고 생각해요?"

재인은 늦여름이 가기 전 어느 새벽 내게 물었고 나는

사람의 표정을 말로 풀어 말하기란 정말 어렵다는 것을 깨달았다. 실은 나는 그 영화의 엔딩에 사람들이 열광하는 이유를 온전히 이해할 수 없었다. 많은 이들이 영화 속 두 주인공은 이별했음에도 그들이 새드엔딩을 맞은 것은 결코 아니라는 식의 감상을 남겼지만 나는 여전히 엠마 스톤이 라이언 고슬링이 아닌 다른 남자와 결혼해 애까지 낳았다는 사실이 그다지 마음에 들지 않았고 허무하기까지 했다. 나는 한참을 어…… 하며 시간을 끌다 답했다.

"각자의 길을 가겠다는 거겠지. 서로를 응원하면서, 내 삶에 충실하면서, 그러니까 더는 미련 없이……."

술기운 때문인지 방향을 잃고 자취방 천장을 떠도는 내 말들을 쓸어버리고 재인은 단호한 목소리로 말했다.

"그건요. 사랑을 무사히 통과한 사람만이 지을 수 있는 미소예요."

사랑과 통과라는, 썩 잘 연결되지 않는 것 같은 두 단어의 조합을 곱씹어 보았다. 지난 몇 번의 연애를 떠올려 보면 내게 이별은 단 조금도 좋았던 적이 없었고 다음엔 좀 다른 유형의 사람을 만나야겠다는, 실패할 게 뻔한 다짐이나 하는 것으로 마무리되곤 했다. 재인에겐 사랑을 통과한 경험이 있는 걸까 생각했다. 나는 재인의 과거에 대해선 아는 바가 없었지만 재인이 허공에 붕 뜬 길 위를 뚜벅뚜벅 걷는 모습을 상상했다. 그게 사랑을 통과하는 형상이라도 되는 것처럼 말이다.

정혁은 매주 뒤풀이마다 술을 먹다 말고 전화를 하러 자리를 비웠다. 우리가 자주 가는 고깃집의 통유리 너머로 정혁이 골목을 몇 발짝씩 왔다 갔다 하는 게 보였다. 때때로 짝다리를 짚은 채 맞은편 건물에 몸을 기대기도 했다. 또 정혁은 수화기를 붙들고 자주 웃었다. 그건 이민기 성대모사를 하고 나서 짓는 것과는 다른 웃음이었다. 그는 상대의 말을 가만히 듣고 있을 때가 더 많았지만 종종 길게 말을 하기도 했다. 그럴 때면 정혁은 평소보다 조금 느리게 입을 움직였다. 당연하게도 가게 안에선 그의 말소리가 들리지 않았고, 나는 21세기에도 무성 영화를 좋아하는 이들이 남아있는 이유를 비로소 이해할 수 있었다.

그럴 때면 나는 뒤를 돌아보지 않아도 재인이 나를 보고 있다는 걸 알았다. 알았다기보다는 재인이 나를 보고 있다고 생각했다. 엠마 스톤의 커다란 두 눈동자가 흔들리는 찰나 그녀에게 스쳐 간 무언가를 명확히 읽어내던 그 시선으로 나를 보고 있을 거라고 생각했다. 단호한 목소리로 그건요, 하고 무어라고 말할 것만 같았다. 그다음 대사는 나로서는 생각해 낼 수 없었다. 그래서 나는 뒤를 돌아볼 수 없었고 더 오래 유리창 너머 정혁을 봐야만 했다.

국밥집을 나오자마자 정혁은 함께 바다를 보러 갈 사람을 구했다. 부산에 왔으면 바다 한 번은 보고 가야지 않겠느냐고 했다. 저녁에 참석하기로 했던 오픈 토크를 빠지자는 의미였다. 당연하게도 정혁과 동행하겠다고 자처하는 이는 아무도 없었다. 예정된 오픈 토크는 작년에 충무로에 혜성처럼 등장해 국내 인디 영화제들을 휩쓴 신인 감독과의 만남이었고 그만큼 나름 치열한 경쟁을 뚫고 얻어낸 티켓이었다. 부원들이 한 명씩 고개를 저어대며 거절할 때마다 나는 조급해졌다. 정혁이라면 아무도 그와 함께해주지 않는대도 아랑곳하지 않고 혼자서라도 영화제를 빠져나갈 것만 같았다.

"누나도 안 가요?"

나를 보며 그가 물었을 때 반사적으로 재인에게로 고개를 돌린 건 명백한 실수였다. 재인은 말했다.

"언니 아까부터 머리 아프다지 않았나. 같이 가줘요. 또 스크린 보고 있으면 더 아플 텐데."

나는 그렇다고 답하지는 못했지만 아니라고는 더 말할 수 없어 아무 말도 하지 않았다. 어째선지 침묵은 긍정으로 해석됐고, 부원들은 나와 정혁을 어딘가로 보내는 듯한 손짓을 했다. 그때 재인이 나머지 부원들 쪽으로 몸을 한 발짝

옮기고서 물었다.

"근데 오빠는 이럴 거면 왜 온 거예요?"

밤에 가질 술자리를 제외하고선 워크숍의 모든 일정이 정혁에게 지루하기 짝이 없으리라는 것은 언급할 필요도 없이 모두가 알고 있는 사실이었다. 동시에 아무도 정혁에게 그럴 거면 왜 영화제에 따라오겠다고 했는지, 혹은 더 거슬러 올라가서 애초에 왜 동아리에 들어왔는지 묻지 않았다. 그는 영화를 모르더라도, 어쩌면 모르기 때문에 웃겼고 그것만으로 자릿값을 하는 부원이었으니 말이다.

그러자 선배 하나가 무슨 그런 새삼스러운 질문이 있냐는 듯 심심하게 웃었다. 정혁은 들은 체도 않았다. 정혁의 뻔뻔한 태도가 또 웃겼는지 서너 명이 더 웃었다. 나는 재인의 웃지 않는 얼굴을, 나를 보며 웃지 않는 얼굴을 잠시 바라보았다. 재인은 이내 다른 부원들이 그랬던 것처럼 정혁과 내게 이만 가라고 손을 내저었다.

가을 저녁 무렵의 바닷가는 걷기 좋게 선선했다. 해가 짧아졌는지 하늘이 그새 어둑해져 있었다. 기온은 따뜻했지만 적당히 시원한 바닷바람이 헐거운 니트 사이로 들어왔다. 파도 앞에 선 사람들은 열심히도 사진을 찍어 댔고 한 걸음 디딜 때마다 내 발은 모래에 푹푹 빠졌다. 단화 안으로 모래알이 흘러들어오는 게 느껴졌지만 내버려 두었다.

정혁은 두 손을 바지 주머니에 넣은 채 해안선을 따라 걸으면서 쉴 새 없이 무슨 말을 했다. 그저께 경영관으로 올라가는 길에 모기를 다섯 방이나 물렸다고 했다가 원래 여름보다 가을 모기가 더 무서운 법이라고, 그 새끼들이 진짜라며 상체를 덜덜 떨며 몸서리를 치다가, 유치원 때 놀이공원에서 말벌에 쏘인 이야기를 했다가, 말벌에 쏘여도 독침을 빨면 살 수 있다고 했다. 정혁은 말벌이 이이잉하고 날아다니는 소리를 입으로 내며 팔로 날갯짓을 하다 말고 엄지손가락으로 내 어깨를 쿡 찔렀다. 나는 정혁을 올려다봤다.

"가위바위보 해서 진 사람 입수하기 어때요."

정혁은 대뜸 제안했다. 정혁이 가을 모기를 무서워하는 척하며 취하는 제스처와 말벌 흉내는 역시나 웃겼고, 맥락도 없이 십여 년 전 예능 프로그램에서나 했을 법한 입수 내기를 하자는 것도 웃겼다. 웃겼지만 그중 어느 것도 대사 같지 않았다. 입수하기 어때요 뒤에는 그 어떤 것도 숨어있지 않다는 것을 깨달아서 나는 웃을 수 없었다.

정혁은 오늘 내가 좀 이상하다고 했다. 평소엔 별것도 아닌 거에도 그렇게 웃더니 왜 그러냐며 고개를 갸웃거렸다.

"진짜 머리가 아픈가 보네."

이내 재킷 주머니를 뒤적이더니 타이레놀을 꺼냈다. 몇 알은 이미 비어있었다. 정혁은 절취선을 따라 플라스틱 포장지를 한 알 크기로 뜯어 건넸다. 나는 순순히 약을 받아 들었다. 정혁은 해수욕장 입구 쪽의 편의점을 턱짓으로 가리키며 생수를 사러 가자고 했지만 나는 고개를 가볍게 가로저었다.

"나중에 먹을게."

순간 검은 하늘 위로 작은 폭죽이 터졌다. 우리로부터 서너 발짝 떨어져 서 있던 연인 한 쌍이 서로의 손을 포개어 막대기 폭죽을 함께 쥐고 있었다. 조악한 불꽃이 불규칙한 박자로 하늘에 솟아올랐다. 순간 설경구의 끔찍한 프러포즈가 떠올랐고 나는 여전히 정혁이 해운대 바닷가에서 터지는 불꽃을 보고 설경구를 떠올릴 정도로 그 영화를 좋아하는지 알 수 없었다.

열차는 자정이 다 되어 서울역에 도착했다. 재인과 나는 다른 수요일들처럼 재인의 자취방에 갔다. 매트리스에 나란히 앉아 또 포카칩을 씹었다. 어느새 한 시 반이 넘어가고 있었지만 우리는 우리가 나란히 누워 잠에 들지 않을 것임을 알고 있었다. 나는 내가 야간 할증이 붙은 택시를 타고서라도 집에 돌아가리라는 것을 아주 선명히 알고 있었다.

포카칩 한 봉지를 다 비웠을 때 재인은 이제 양치를 하자고 말하는 대신 조금 울었다.

"너 왜 울어?"

"짜증 나서요."

말 그대로 정말 짜증이 나서 우는 재인을 뒤로하고 오피스텔 현관문을 나섰다. 우리는 미소 짓기에 완전히 실패하고 말았다.

오피스텔의 긴 복도를 걸으며 나는 바지 주머니에 넣어둔 타이레놀을 꺼냈다. 가볍게 힘을 주어 알약을 누르자 플라스틱 뒷면을 감싸던 알루미늄 포장지가 찢어졌다. 왼 손바닥 위에 놓인 약을 입술 새로 넣었다. 따뜻한 침에 약이 금세 녹으면서 머리가 찡하도록 쓴맛이 느껴졌다. 알약을 까드득 씹었다. 조각난 타이레놀을 삼켜보려 했지만 쉽지 않았고 끈적한 침에 더 잘게 녹아내렸다. 알약은 부서지고 부서져 해운대 바닷가의 모래처럼, 입안을 아주 오래 휘저었다.

쿠키 영상

누가 좀 멀리서 나 말고 다른 사람이랑 얘기할 때, 그러면 그 사람이 하는 말이 나한텐 안 들릴 거 아냐, 입 뻥긋거리는 것만 보이고. 나는 그 순간에 사람한테 잘 반한다. 웃기지.

언젠가 그런 고백을 했을 때 상대는 썩 이해되지 않는다는 눈빛으로 대답을 대신했던 기억이 있다. 그 상황이 웃기면서도 나는 그에게도, 나만큼이나 이상한 마음이 있으리란 걸 알고 있었다. 비슷하지 않은 성대모사를 듣고도 웃음이 나고, 로맨스 영화를 보면 심장이 간질거리지만 그런 것을 취향으로 삼고 싶지 않고, 막상 좋아하고 싶은 것엔 애정을 쏟을 수 없다는 걸 깨닫고 조급해지는 그런 마음.

어떤 사랑은 불가항력적이지만 어떤 사랑은 가항력적이다. (왜 불가항력이라는 단어는 있지만 가항력이라는 단어는 없는 걸까? 나는 가항력적인 사랑에 대해 쓸 때마다 노트북 속 빨간 줄을 감내해야 한다.)

둘 중 어떤 힘에 기대야 할지 나는 아주 오랫동안 헷갈려 할 것이다.

그 무엇도 확신할 수 없는 마음들 사이를 겅중겅중 건너면서, 무사히 통과하든 그렇지 못하든, 분명히 존재했던 마음으로 쓴다.

이채린

백 투 더 홈

쿠키 영상

이 모든 일은 지금으로부터 삼십육 년 전, 대한극장 상영표에 <백 투 더 퓨처>가 처음 걸린 어느 날로부터 비롯되었다.

　에밋의 말로는 작년 여름 한 차례 수술을 진행한 이후로 이 정도 규모의 긴급 소집 회의가 열리는 것은 처음이라고 한다. 그 탓인지 몇 없는 스태프들의 모습에서 군기가 느껴졌다. 에밋은 관자놀이에 손가락을 꾹꾹 눌러가며 제법 진지한 목소리로 자, 스탠바이, 하고 말했고, 그러자 스태프들은 전장에 나서는 군인처럼 비장한 표정을 지으며 등을 곧게 폈다. 나 역시 덩달아 어깨를 쭉 펴고 머지않아 저들의 미래가 어떻게 흘러갈지 생각했다. 다들 어디서 어떤 모습으로 살아가게 될까. 미희 엔터테인먼트의 가세가 기운 것은 이미 십 년도 더 된 이야기라는데, 저들은 어떤 마음으로 모두가 떠나간 십 년 동안 묵묵히 자리를 지키고 있는 걸까. 어쨌든 지금이 모두에게 힘든 시간임은 분명했다. 에밋이 말하길,

가세가 기울던 초반에는 지저분한 물도 싹 정리되고 오히려 좋다 싶었는데, 시간이 지날수록 유능하고 성실한 감독들마저 하나둘 흔적도 없이 사라지기 시작해 회사 전체가 부도 위기에 처하고 말았다고.

그렇게 죽어가는 미희 엔터테인먼트를 멱살 잡고 들어 올린 일등 공신이 바로 에밋이었다. 에밋이라는 이름은 학창 시절 미희가 가장 좋아한 영화 <백 투 더 퓨처>의 에밋 브라운 박사에게서 따온 것으로, 주인공 마티처럼 호기심 많은 삶을 살던 미희에게는 브라운 박사와 같이 든든한 버팀목이 되어줄 어른이 곁에 없었다.

그래서 제 이름을 에밋이라고 정했어요. 저는 미희와 가*상 가싸운* 친구니끼요.

그거 미희와도 합의된 사항인가요?

합의가 됐으면 닥이라고 했겠죠? 참고로 닥은 마티가 박사를 부르는 애칭.

아, 그러세요. 별달리 대꾸할 말이 없어 나는 고개만 끄덕거렸다.

내가 이토록 갑작스레 미희 앞에 오게 된 것은 바로 이 미희 엔터테인먼트의 마지막 촬영을 보조하기 위해서이다. 90년대의 어느 날부터 지금에 이르기까지 자그마치 삼십 년 동안 나는 이곳저곳 발 닿는 대로 돌아다녔다. 형체가 없는 몸으로는 어디든 갈 수 있었다. 비록 이 영혼이라는 게 인간이 생각하는 것만큼 자유롭지는 않아서 눈을 깜빡이면 원하는 곳에 도착해 있다거나 세계의 여러 곳을 날아다닐 수 있는 것은 아니었지만, 적어도 다리의 통증이나 허기짐 등을 느끼지는 않았기에 의지만 있다면 대한민국 안에서는 어디든 갈 수 있었다는 뜻이다. 그리하여 최근의 나는 서울을 기준으로 남쪽에 내려갔다가 다시 올라오는 코스로 춘천에서 강릉을 지나 속초까지 넘어왔다가 마침내 DMZ 구역에 닿게 된 상태였는데, 강원도를 마지막으로 사실상 대한민국을 다 돌아본 상태였기 때문에 이제는 어디에 가지, 안 가본 곳이 없는데, 남은 곳이라곤 북한뿐인데 정말 어쩌지, 하고 고민하던 참이었다. 그렇게 보는 눈도 없겠다 고통도 못 느끼겠다, 좀 더 걸어가서 휴전선이나 넘어볼까, 저 위까진 못 가더라도 이참에 황해도 구경이나 좀 해볼까 하는 미친 생각을 하던 도중 에밋의 목소리를 듣게 된 것이다.

옥자 씨!

옥자 씨? 죄다 군인뿐인 이런 동네에 옥자라는 이름을 가진 사람이 있다니. 군인 이름이 옥자일 리는 없을 텐데, 어디 지나가는 아줌마라도 있나 싶어 주위를 두리번거렸지만 시야에 들어온 것은 얼어붙은 풀들과 적막한 도로뿐이었다.

이내 그 옥자가 나를 지칭하는 것이라 깨달았을 때 나는 삼십 년 만에 아주 크게 당황하고 말았다. 그러나 넋 놓고 당황할 틈도 없이 에밋은 빠른 속도로 날아와 있는 힘껏 내 머리를 쳤고, 나는 그대로 쓰러졌고, 그 뒤로는… 어떻게 되었는지 잘 기억나지 않는다. 그저 눈을 떠 보니 에밋이 어딘가 익숙한, 해변의 소주병 조각처럼 반짝거리는 눈빛으로 나를 내려다보고 있었을 뿐.

에밋은 스스로를 미희의 꿈의 영역을 담당하는 세포라 소개했다. 모든 설명을 들은 나는 큰 혼란에 빠졌다.

그래서, 우리 미희가 지금 죽기 직전이라는 뜻인가요?

어머, 지금까지 승천도 안 하셨으면서 딸 상태는 모르셨단 말이에요?

에밋이 두 눈을 빠르게 깜빡이며 물었다. 할 말이 없었다. 하긴, 딸이 병상에 누워 있는 줄도 모르고 태연하게 황해도 구경이나 할 생각을 하고 있었으니. 내가 대답이 없자 에밋은 그런 건 아무래도 상관없다는 듯, 됐어요 됐어요, 탓하려고 한 거 아니에요, 하며 손사래를 쳤다.

도통 모르셨던 듯하니 설명을 좀 드리자면, 미희가 유방암에 걸린 지는 한 삼 년 됐고요, 그전까지도 이래저래 잔병을 계속 달고 살았는데, 암이 단기간에 꽤 많이 퍼지는 바람에 지금 이런 상황이 된 거예요.

삼 년 동안 미희는 기특하게도 아주 잘 버텨주었다고 한다. 상황이 확 나아지는 일은 없었지만 급격히 나빠지는 일도 없었다고. 삼 년. 삼 년이라. 그동안 나는 뭘 했더라. 월악산에서 새해를 맞이하기도 했고 동해 앞바다에서 산책하는 갈매기 떼를 구경하기도 했고…

미희 생각은 좀 하셨어요?

그럼요. 매일 했죠. 나는 속으로만 대답했다.

미희 엔터테인먼트는 미희가 가진 기억들을 종합해 미희의 꿈을 영화 형태로 만드는 곳이었다.

하지만 미희가 암에 걸리면서 해가 갈수록 쓸만한 감독들은 떠나지 수면 시간도 짧아지지, 아무리 에밋이라지만 영화를 만드는 일을 대부분 혼자 진행하기엔 무리가 있었다. 미희의 건강이 악화되면 악화될수록 스태프들의 수 역시 매일 눈에 띌 만큼 줄어들었으므로 부족한 노동력을 채우기도 쉽지 않았다. 이런 상황에서 일부 스태프들은 미희가 가장 편안한 상태는 오히려 꿈을 꾸지 않는 상태라며 영화 사업을 접자고 제안했는데, 실제로 유능한 감독들이 은퇴한 뒤 웬 조무래기들이 감독이랍시고 설쳤을 때 미희는 잠들 때마다 크게 괴로워했다고. 그들은 아주 간단한 기억을 구분하는 능력조차 떨어져 미희가 가진 괴로운 기억들을 꺼내 멋대로 조합했고, 그러면 당연히 미희는 몇 시간 제대로 자지도 못하고 금방 깨어났던 것이다.

이런 상황이 반복되자 에밋은 스태프들을 대거 해고해 버렸다. 있어서 방해만 되느니 차라리 본인이 홀로 모든 걸 감당하는 게 낫겠다는 심산이었다. 그렇게 에밋은 무수히 많은 세포들을 소멸시킨 뒤 미희의 편안한 수면을 위해 고군분투했는데, 아무리 능력자 에밋이라도 생명의 유한성 앞에서는 점점 힘을 잃어갈 수밖에 없었다.

그래서 옥자 씨를 데리고 온 거예요. 마지막 촬영을 좀 도와주셨으면 해서요.

촬영이라니, 영화라도 찍는다는 말인가요? 내가 묻자 에밋은 고개를 끄덕였다. 바로 그기에요. 그러니까 정말 영화를 찍어야 한다는 소리였다. 미희를 위해 바로 내가.

왜 하필 영화죠? 다른 사람들도 이렇게, 머릿속에 자기만의 영화관 같은 게 있는 건가요?

보통은 그런데 사람마다 달라요. 만화인 사람도 있고 소설인 사람도 있고. 근데 미희는 영화를 좋아했으니까.

미희는 영화를 좋아했으니까. 에밋의 대답이 귓가에 메아리쳤다.

맞아. 미희는 동네에서도 소문난 영화광이었다. 매주 주말마다 대한극장부터 서울극장까지 극장이란 극장은 죄다

나다닌 것으로도 모자라 고등학교 영화 동아리 부장 자리까지 꿰찼었지. 학교의 지원을 받아 당시 꽤 고가였던 소니 캠코더로 손수 영화를 찍기도 했다. 그땐 출품할 수 있는 청소년 영화제의 종류가 많지 않았기 때문에 그걸로 대회를 나가거나 하지는 못했지만, 청소년 영화의 부흥을 꿈꾸는 몇몇 대학 영화 서클의 도움을 받아 각종 대학 영화제들을 비롯해 충무로에서 진행되는 조촐한 상영회까지 빠짐없이 출석하고 다녔던 것을 똑똑히 기억한다. 그러나 기억만 할 뿐 그때 미희가 어떤 표정으로 극장에 갔는지는 알 수 없다. 미희와 나는 말하자면 어색한 사이였다. 잘 잤니, 밥 먹어, 같은 말은 아무렇지 않게 할 수 있지만, 서로의 일상을 긴밀히 나누기는 어려운 사이. 동네 아줌마들 말로는 미희가 극장에 가는 주말만 되면 늘 상기된 볼에 산뜻한 발걸음으로 거리를 날아가는 듯 걸었다고 하는데, 내가 알 턱이 있나, 그렇게 귀여웠을 모습을.

나는 미희가 영화를 좋아하는 것이 싫었다. 한눈에 보기에도 엉성한 영화를 찍는답시고 온종일 집에 들어오지 않는 것도 싫었고, 영화를 말할 때의 반짝이는 눈빛을 내게만 보여주지 않는 것도 싫었다. 그러거나 말거나 미희는 쉬는 날이면 매번 달리기 선수처럼 극장을 향해 달렸다. 그런 미희의 모습을 지켜본 동네 이웃들은 반상회 날마다 미희는 아주 벌써부터 폼이 왕가위 저리 가라야, 하며 격려인지 비웃음인지 모를 말들을 던졌고, 그럴 때면 나는 대답할 말을 찾지 못해 멋쩍은 미소로 상황을 넘겼다. 왕가원지 뭔지 알 게 뭐람. 너는 그냥 김미희일 뿐이니 제발 정신을 좀 차렸으면 하는 마음이었다.

그렇지만 사실 미희에게 영화가 잊힌 지는 오래됐어요.
에밋이 말했다.
미희가 평소 관심을 보이는 것들은 대뇌 왼쪽에 있는 세포들이 담당하고 있었다. 혹은 심장, 간혹 그리로 흐르는 무수한 적혈구와 백혈구들까지. 에밋은 미희가 상상하는 것들로 대충 요즘 미희가 이런 것에 빠셨구나 짐작만 할 뿐이었지만 그런 것들은 또 워낙 쉽게 바뀌었다. 한동안은 대학에 와서 만난 같은 과 선배였다가 학교 앞 빵집의 크림빵이었다가 딸이 태어나고 나서는 줄곧 딸이었다가,
잠깐. 딸이요? 딸이 있어요?
네. 참고로 남편은 없어요. 미희가 혼자 키웠어요.
나에게도 손녀가 있었다니. 나는 한 번도 보지 못한 손녀의 얼굴을 떠올렸다. 어떻게 생겼을까, 미희를 닮았다면 귀여울 텐데. 동시에 미희를 임신시킨 남자에 대해 생각했다. 손녀 얼굴을 보면 그놈이 어떻게 생겼는지 알 수 있겠지.

대충 미희와 닮지 않은 부분은 그 자식 유전자일 테니. 그나저나 딸까지 생겼다니… 정말이지, 어떤 예감은 놀라울 정도로 틀리질 않는구나.

아무튼 미희는 대학에 들어가서 영화를 아예 접었어요. 대학생 때 소림이를 임신해 버렸거든요. 아, 소림이는 딸 이름.

딸 때문에 접은 거예요?

맞긴 한데 아니에요.

무슨 소리지?

소림이가 계기가 된 건 맞지만, 미희도 깨달은 거죠. 사람이 원하는 것만 하고 살 수는 없다는 걸요. 재능과 흥미는 별개의 영역이라는 것도.

에밋은 어깨를 으쓱하며 말했다. 미희가 깨달았다는 단순한 사실은 언젠가 내가 미희에게 한 말과도 같은 것이었다. 그러게 내가 뭐랬냐, 김미희. 하여튼 엄마 말은 이렇게 안 듣는다니까.

그래도 미희에게 영화는 여전히 소중한 존재예요. 그러니까 저희는 계속 이렇게 영화를 만들었던 거고요.

이렇게 영화를 만드는 걸 미희는 모르지 않나요?

아마 알 거예요.

어떻게 알아요?

미희는 상상력이 풍부하니까.

에밋은 말을 하고 가볍게 윙크했다. 이거 원… 할 말이 없었다.

촬영은 생각보다 특별할 게 없었다. 그 흔한 대본마저 존재하지 않았다. 보통은 미희의 기억을 종합해 만든 대본과 적절한 애드리브를 섞어 촬영을 진행하지만 이번은 처음이자 마지막으로 진행하는 짧은 생방송이 될 예정이니 그냥 알아서 하면 된다고 했다.

그런데 왜 하필 저인가요?

뭐가요?

딸도 있다면서. 마지막으로 꾸는 꿈에는 엄마보단 딸이 나오는 게 더 좋을 텐데.

아닐걸요? 미희는 소림이 그렇게 좋아하지 않아요.

자식 사랑하지 않는 부모가 어디 있어요.

있을 수도 있죠. 옥자 씨도 그랬잖아요.

무슨 소리예요. 제가 미희를 얼마나 사랑했는데.

근데 왜 미희가 영화 하는 건 반대했어요?

네?

옥자 씨도 영화 좋아했잖아요. 그런데 왜 반대하신 거예요?

그건…

순간 입이 떨어지지 않았다. 그거야말로 사랑해서 그랬던 거였는데. 사랑하니까. 네가 잘됐으면 좋겠다는 마음에. 공들여 찍었다던 너의 영화가 무슨 내용인지 도통 모르겠어서. 그래봤자 너는 그만두지 않았잖아. 내가 아무리 모질게 말해도 미희는 먼 훗날 영화제 수상식에서 언급할 부모님 반대에 힘들었던 청소년기를 겪고 있을 뿐이라며 스스로를 위로하곤 했다. 나의 말은 아무런 힘이 없었다. 내가 어떻게 생각하든 나의 의견은 미희의 삶에 미미한 영향조차 주지 못했다.

무엇보다 내가 영화를 반대했던 이유는……,

옥자 씨.

한참 말이 없자 에밋이 내 어깨를 잡았다.

제가 하는 말들은 전부 미희 의견이에요. 오케이? 미희가 그렇게 느낀 거예요. 그러니까 해명은 이따 미희한테 가서 하세요.

그 애는 제가 자기를 사랑하는 줄 모르나 봐요.

알 리가. 딸을 좀 엄하게 키우셨어야죠.

하지만 어떻게 모를 수가 있지. 나는 삼십 년이 지난 지금까지 육신을 버리고 이렇게 전국을 떠돌고 있는데. 그런데 그러고 보니 스스로도 조금 의문이었다. 나는 왜 아직까지 지상에 머무르고 있는 걸까. 이게 정말 미희 때문인가. 그렇다면 나는 왜 삼십 년 동안 한 번도 미희를 찾아가지 않았을까.

영화부 시절 미희가 만든 영화는 그야말로 개판이었다.

가을인지 겨울인지 모를 어느 날 미희는 난생처음 본인이 만든 영화를 내게 공개했다. 아직 확실히 완성된 것은 아니고 지금부터 최소 이 년 정도를 더 공들여서 대학에 간 뒤 영화제에 출품할 예정이라는 설명을 덧붙이는 것도 잊지 않았다. 그날 미희는 서클 사람들에게 칭찬을 받았다며 어깨가 하늘 위로 솟아 있었고, 한 번도 말을 섞은 적 없는 짝꿍을 대하듯 나를 대하던 평소 모습은 온데간데없이 살가운 모습으로 내 옆에 찰싹 붙었다. 나 또한 웬만하면 그런 미희의 기분에 맞춰 발랄하게 대꾸하고 싶었으나 내 바람과 달리 캠코더 속 영화 동아리 학생들은 불행히도 가지각색으로 연기를 못했다.

넌 무슨 역할인데?

감독이지. 각본도 참여했고.

그러세요. 그렇게 자랑스럽게 말할 만한 수준은 확실히 아니었다. 설명을 듣자 하니 차범석의 <산불>을 현대 배경으로 재해석한 영화라고 하는데, 애초에 시대가 가장 중요한 작품을 각색하겠다는 저세상 센스는 둘째치고 가뜩이나 어색한 연기에 사투리까지 섞은 서울 토박이들의 모습을 보고 있자니 민망하기 짝이 없었다. 그나마 봐줄 만했던 것은 카메라 앵글 정도였는데, 그마저도 나름 어디서 본 뭔가를 흉내 내긴 했구나, 싶은 구도가 몇 차례 지나가자 허무하게 끝나 버렸다.

엔딩크레딧이 나오고 나는 흰 글씨로 적힌 이름들을 하나하나 똑바로 마주했다. 배우들의 이름이 지나가고 조명 팀과 연출자들의 이름이 지나가고, 마침내 감독 김미희라는 글자가 지나갈 때까지 나는 미동도 없이 캠코더의 화면만 바라보았다. 이런 영화를 찍겠다고 매일매일 나가 돌아다닌 거라니. 그렇게 사랑에 빠진 소녀의 얼굴로 고작 이런 영화를 만들기 위해 그렇게 돌아다녔던 거냐. 허무했다. 어쩐지 배신감도 들었다. 내심 기대하고 있었던 걸까, 미희가 대단한 영화로 날 깜짝 놀라게 해주기를. 그래서 당당하게 내게 인정받기를. 하지만 미희의 영화는 이런 감상을 드러내는 것조차 우습게 느껴질 정도였다. 나는 천천히 고개를 돌려 미희를 쳐다보았다.

어때?

미희가 물었다.

어떠냐고? 순간 어떤 분노가 나를 덮쳤다. 풍족한 지원을 받았다고 하기는 무리지만 아무튼 이런저런 지원까지 받으면서 찍은 영화가 고작 이 모양이라니. 심지어 본인이 만든 영화가 엉망이라는 사실조차 모르고 있다니.

그렇다. 내가 정말 견딜 수 없던 것, 그것은 무지에서 나오는 미희의 패기였다. 좋아하는 마음 하나로 모든 일을 해낼 수 있을 것이라는 오만함과 당장 흘린 땀방울이 자신을 대단히 빛나는 미래로 이끌 것이라는 착각, 거기서 비롯된 뿌듯함과 출처 모를 낙관까지. 그 모든 마음에서 비롯된 말을 미희는 종종 내뱉곤 했다.

엄마 같은 사람이 되고 싶어.

바로 그 말이 나는 싫었다. 나는 젊은 미희가 가진 낙관을 아주 오랫동안 끌어안고 살아온 사람이다. 그러나 나는 꿈을 포함해 나 김옥자를 이루는 모든 일에 실패했다. 그래서 나는 싫었다, 미희가 나처럼 되는 것이. 하지만 불행히도 미희의 영화를 본 순간 깨닫고 만 것이다. 모든 것이 미희의 말대로 되어가고 있음을. 그러니까, 미희가 나를 닮아가고 있음을.

그날 미희에게 뭐라고 대답했는지 정확히 기억할 수는 없다. 이제 와 기억나는 것은 눈물을 그렁그렁 떨구며 소니 캠코더를 품에 안고 뛰쳐나가던 미희의 모습뿐이다. 잔뜩 기대에 차 있던 표정이 서서히 망가지던 단 몇 초의 시간, 그 순간을 기점으로 나와 미희 사이에 없앨 수 없는 무언가가 평생 남게 되었으리라는 예감 역시.

그날 미희는 집에 돌아오지 않았다. 미희가 없던 밤이 유독 길었다.

그날 미희가 어디에 있었게요?

에밋이 실실 웃었다.

저야 모르죠. 뭐 하루 있다가 어련히 들어오겠거니 했으니까.

나는 궁금하지 않다는 듯 대꾸했다. 에밋은 아랑곳하지 않고 그게, 비밀인데, 하며 주위를 둘러보는 시늉을 하더니 속삭였다.

실은 학교 개집에서 잤어요. 거기 있던 개 냅다 내쫓고. 우리 미희 대박이죠.

신이 나서 말하는 에밋과 달리 나는 머쓱해진 나머지 두어 번 헛기침했다. 김미희, 내가 아무리 개딸 개딸 소리를 했다지만 진짜 개집에서 자면 어쩌자는 거야.

그때 미희가 얼마나 울었는지 아세요? 저희가 아무리 달래려고 해도 울음을 그칠 생각을 안 했다니까요. 정말 옥자 씨가 어찌나 미웠는지…….

고마워요. 덕분에 욕먹고 이렇게 일찍 죽어서 딸 마지막 가는 길도 보고 그러네요.

그래서 옥자 씨 앉혀두고 진솔하게 한번 대화 나눠보는 게 꿈이었는데요.

에밋이 나를 빤히 쳐다봤다. 그리곤 씩 웃었다.

이상하죠. 막상 앞에 있으니까 무슨 말을 해야 할지 모르겠어요.

그런 것치곤 꽤 많이 떠든 것 같은데 말이에요. 나는 이번에도 속으로만 대꾸했다. 자꾸만 말을 삼키게 되는 것은 나역시 마찬가지였다.

내가 가출한 것은 미희가 개집에서 하룻밤을 보냈다는 다음날이다.

나는 불 꺼진 거실에 앉아 가만히 미희가 들어오기를 기다리고 있었다. 그날 나는 몇 년 만에 술을 마셨고, 미희가 돌아온다면 어제의 일을 사과할 작정으로 말을 정리하고 있었다. 어제는 미안했어. 내가 말이 조금 심했다. 그래도 걱정되니까 집은 나가지 말지. 미친 사람처럼 꼬인 발음으로 중얼거리길 수십 번, 밤이 점점 깊어지고 있는데도 미희는 쉽사리 나타날 생각을 하지 않았다.

오지 않는 미희를 기다리며 나는 미희가 내 사과를 받아줄 경우의 수와 그렇지 않을 경우의 수를 생각했다. 받아줄 경우 우리의 사이는 전과 크게 달라지지 않을 것이다. 아무리 사과를 했다 한들 다시 나에게 영화 관련 이야기를 꺼내기는 힘들겠지. 그렇다면 받아주지 않을 경우에는 어떻게 되는 거지. 내가 말을 심하게 한 탓이니 받아들여야 할까. 어느 쪽이건 전보다 나아진다는 결과는 없었다. 기존의 상태를 유지하느냐 더 최악으로 떨어지느냐의 문제일 뿐이었다.

지금으로선 어색한 사이가 최선의 결과라니, 어디서부터 잘못된 것인지 감도 잡을 수 없었다.

자정이 조금 넘은 시간에 미희는 돌아왔다. 나는 미희의 앞을 가로막았다.

여기가 어디라고 들어와.

이게 아닌데. 지금껏 연습한 말과는 정반대의 말이 잔뜩 꼬인 발음으로 튀어나왔다. 당황한 나와는 달리 미희는 아무렇지 않게 대답했다. 우리 집이니까 들어오지.

맞는 말이다. 그곳은 미희와 나의 집이었다. 미희가 태어난 이후로 한 번도 이사한 적이 없는, 소파를 좀 옆으로 밀었다는 것 외에는 가구 배치조차 한 번 바꾼 적 없는 집. 간혹 미희가 친구들과 노는 것에 지나치게 몰두한 나머지 늦게까지 돌아오지 않아도 늘 머지않아 돌아오리라는 것을 알고 있었다. 하지만 그날따라 나는 미희가 못 견디게 미웠다. 그렇게 내 속을 썩이고도 잘도 돌아오는 것을 도무지 납득할 수 없었다.

그래. 너희 집이면 내가 나가면 되겠네. 그치?

결국 나는 미희 앞에서 쩍쩍 갈라진 목소리로 소리치고 말았다. 진정해. 너 지금 감정 과잉이야. 스스로를 타일러도 이미 엎질러진 물이었다. 나는 술에 취해 비틀거리는 발걸음으로 미희와 집과 모든 것을 뒤로하고 밖으로 나왔다.

그렇게까지 추하고 싶지는 않았으나 유감스럽게도 나는 정말 추하게 눈물을 흘리며 거리를 걸었다. 그리고 간절히 바랐다. 지금 당장 미희가 뛰쳐나와 나를 잡아주기를. 신발도 제대로 신지 않은 채로 다급히 튀어나와 엄마 미쳤어, 혹은 엄마 내가 잘못했어, 같은 소리를 하며 날 붙잡아주길.

하지만 미희는 그러지 않았다. 미희는 그러지 않았지만 나는 미희가 뒤늦게 뛰쳐나올 몇 퍼센트 확률에 희망을 걸어 최대한 느리게 절뚝였고, 그러다가 맞은편에서 달려오던 대형 트럭을 미처 보지 못했다. 곧바로 눈을 깜빡인 찰나의 순간 정신이 아득해졌고⋯⋯, 그렇게 다시 정신을 차린 뒤에는 갓길 위에 신발도 없이 서 있었을 뿐이다. 그날을 기점으로 정처 없이 떠돌아다닌 삼십 년의 시간 동안 미희를 생각하지 않은 적은 단 일 초도 없다.

내게 영화란 늘 꿈일 뿐이었다. 언젠가 깨고야 마는.

그래서 나는 에밋이 불편했다. 에밋은 어렴풋이 알고 있을 테니까. 내가 때때로 미희가 없는 삶을 상상했다는 것을. 미희를 사랑하지만 사랑하지 않은 날도 많다는 것을. 물론 미희도 마찬가지였을 테다. 내가 엄마에게 그랬던 것처럼. 그러나 적어도 나는 모든 순간의 미희가 궁금했다. 나를 사랑할 때의 미희도 사랑하지 않을 때의 미희도 어느 것 하나

궁금하지 않은 게 없었다. 내가 죽은 뒤의 그 애의 일상도 마찬가지였다. 대학에 간 건 맞는지, 갔다면 무슨 과에 갔는지, 학교에서는 누구와 어울리는지, 저축은 하고 있는지, 남자친구는 사귀었는지 사귀었다면 좀 제대로 된 놈인지, 뭐 얼마나 잘났길래 너의 마음을 단숨에 빼앗아 버린 건지, 그리고…… 여전히 영화를 찍고 있는지.

그 모든 것들을 궁금해하면서도 나는 미희를 한 번도 찾을 수 없었다. 언젠가 생각 없이 내뱉던 말처럼 나를 닮은 인생을 살고 있을 미희의 모습을 지켜볼 자신이 없었다. 그래서 전국 곳곳을 하염없이 돌아다녔다. 미희가 마침내 나와 동갑이 될 때까지. 하지만 내가 궁금했던 것은 병상에 힘없이 누워 있는 너의 모습이 아니었는데. 그건 정말이지 하나도 궁금하지 않았는데.

촬영에 들어가기에 앞서 에밋은 간단한 유의 사항 몇 가지를 알려주었다.

지금 상태가 안 좋아서, 아마 컷하자마자 미희는 떠날 거예요. 그러니까 하실 말씀 같은 건 미리 좀 생각해 두셔야 할 것 같아요.

떠난다고요?

죽는다는 거죠. 그래도 잠들듯 떠나는 게 얼마나 큰 축복이에요.

딱히 동의를 바라고 한 말은 아닌 듯해 보였으나 나는 고개를 끄덕였다. 그런데 할 말이 뭐가 있지. 살아 있을 때는 그토록 많이 했던 말이 이제 와서는 하나도 생각나지 않았다. 잘 지내니, 밥 잘 먹고 다녀, 라는 말도 너무 늦은 인사말이고. 우리 엄마라면 뭐라고 했을까. 내가 트럭에 치여 용수철처럼 도로 위로 튀어 오른 순간 엄마가 나를 봤다면… 그런데 엄마는 왜 내 마지막 순간에 나타나지 않은 걸까. 엄마는 죽자마자 하늘로 가버린 걸까? 아무 미련도 없이? 오만 생각이 다 들었다. 이렇게 머릿속이 복잡할 바에는 차라리 대관령 언덕을 하염없이 걷던 어느 날로 돌아가는 게 나을 것 같기도 했다. 그때는 그냥 걸으면 그만이었다. 어쨌든 이 세상 어딘가에 미희가 살아 있으니까.

촬영장에 들어선 나는 또 당황하고 말았다. 촬영장은 텅 비어 있었다. 미희의 형체를 어디서도 찾아볼 수 없었다.

그런데 미희는 어디 있나요?

고개 돌려 보세요.

안 보이는데요.

그냥 이 공간 전부가 미희예요. 눈을 어디에 둬도 다 미희예요.

에밋이 말했다. 허탈한 마음에 실소가 하, 터져 나왔다.

직접 미희의 얼굴을 마주하고 대화를 나눌 수 있을 것이라 생각했는데 이번에도 나의 독백 시간이라니. 드디어 서로의 눈을 마주 보고 얘기할 수 있겠구나 했는데 그런 기회는 오지 않는구나. 모든 일에는 적합한 때가 있는 모양이다. 난 그걸 놓쳐서 방황한 거지, 삼십 년을 쭉.

자, 준비. 이제부터 정말 실전이에요. 에밋이 작게 속삭이자 몇 안 되는 조명이 나를 밝게 비추었다. 독백이라 해도 막상 시작하려니 심장이 주체할 수 없이 뛰었다. 떨면 안 돼. 미희가 보고 있다. 그때와 하나도 변한 것 없는 내 모습을 보고 있는 거야.

지금이에요. 지금 시작하시면 돼요.

마침내 에밋이 내 등을 떠밀었다. 침착하자. 마지막으로 보인 모습은 추하고 못난 모습이었지만 지금은 그래선 안 된다. 씩씩하고 부드럽게… 그런데 막상 미희가 보고 있다 생각하니 입이 떨어지질 않았다. 이 순간 나는 어떤 말을 해야 좋을까. 우리 엄마라면 무슨 말을 했을까. 미희가 무서워하고 있으면 어쩌지. 오래전 젓가락질을 알려줬을 때처럼 죽음의 느낌까지 내가 미리 알려줄 수 있었다면 좋았을 텐데. 그런데 촬영이 끝나면 이곳은 어떻게 되는 걸까. 나는 어디로 가고 에밋은 어디로 가는 걸까. 미처 정리하지 못한 생각의 파도에 휩쓸려 한참을 멍하니 서 있자 에밋이 필사적으로 손을 흔들었다. 아무 말이나 좋으니 빨리 좀 해보라는 눈짓이었다. 그런 에밋의 눈을 나는 가만히 들여다봤다. 저 이상할 정도로 낯익은 눈빛. 이윽고 나는 기시감의 출처를 깨닫는다.

문득 생각한다. 이 모든 일은, 그러니까 에밋의, 너의 빛나는 눈은 지금으로부터 삼십육 년 전 대한극장 상영표에 <백 투 더 퓨처>가 처음 걸린 날로부터 비롯되었지만, 나는 그보다 훨씬 전부터 너의 눈을 들여다보고 있었다고. 네가 영화를 보는 눈빛으로 나를 바라봐 주길 오랫동안 바랐다고. 너는 꿈을 꾼 것일 뿐 실패한 게 아니라고. 할 수만 있다면 이 촬영장을 통째로 들어 보여 주고 싶다. 네가 존재 자체로 누군가의 꿈인 것을. 알려주고 싶다. 네가 꿈을 잃고 슬퍼했을 그 모든 날이 네가 세상에 없던 날들보다 몇 배는 더 아름답다는 사실을.

나는 천천히 앞으로 향했다. 술을 마시고 비틀대던 걸음걸이를 마지막으로 보인 것이 늘 마음에 걸렸는데 잘된 일이다. 잘 봐. 나는 이제 똑바로 걸어서 너에게 돌아갈 수 있어. 너를 위해서 영화를 찍을 수도 있지. 이 모든 것을 생색내기에 나는 너에게 해준 것이 아무것도 없지만, 그렇지만,

늦어서 미안. 다녀왔어.

천천히 허공으로 손을 내밀었다. 컷, 에밋의 목소리가 촬영장을 가득 채웠다.

쿠키 영상

몇 달 전 엄마가 울었다. 그런데 달래주지 못했다.

할머니의 물건을 정리하던 도중 어떤 사진을 발견한 아빠는 그것을 엄마에게 건네주었다. 버리려다가 그냥 가져왔다는 어떤 사진. 그 사진을 보고 엄마는 펑펑 울었다. 나는 엄마의 표정이 일그러지는 것을 보자마자 거실에 있던 빨래를 챙겨 방으로 들어갔다. 그렇게 멍하니 빨래를 끌어안고 가만히 앉아 이대로 얼마나 더 있어야 하지, 하고 생각했다. 바보처럼.

왜 그랬을까?

그때뿐 아니라 엄마는 종종 울었다. 특히 외할머니가 돌아가신 후에는 평소 할머니가 자주 가던 병원에 방문해 주차를 하다가도, 할머니가 살던 집을 차로 순식간에 지나치면서도 눈물을 흘렸다. 그럴 때마다 난감했다. 엄마가 울면 보통 딸은 어떻게 하지? 다정하게 달래주기도 하나? 모르겠다. 아빠가 울면 달래줄 수 있을 것도 같은데, 왜 이렇게 엄마의 슬픔은 함께 나누기가 힘들까. 엄마는 내가 울면 언제나 달래주곤 했는데 왜 나는 그럴 수 없을까.

엄마가 그렇듯 나의 눈물도 대부분 엄마가 이유일 때가 많았다. 그러면 엄마는 내가 우는 걸 본 체도 하지 않고 내가 숨을 껄떡댈 때까지 그 어떤 행동도 하지 않다가, 기분이 풀리면 이리 오라는 말과 함께 꽉 안아주었다. 이리 와. 그 한마디면 내 마음이 전부 녹았다. 조금 전까지 엄마를 향했던 어두운 마음이 순식간에 휘발되는 느낌, 나는 그 느낌이 싫으면서도 좋았다. 겨우 이런 것에 풀리는 내가 견딜 수 없이 우스웠지만 너무나 편안했다. 나는 나를 가장 불안하게 만든 존재 때문에 비로소 안심할 수 있었다.

왜 그랬을까?

엄마는 왜 그랬을까? 그리고 나는 왜 우는 엄마를 달래주지 못할까? 이유는 모른다. 앞으로도 찾지 못할 것이다. 고로 나는 앞으로도 우는 엄마를 달래주지 못할 수도 있다. 하지만 그럼에도 엄마는 영원히 내 눈물을 닦아 주었으면 한다. 이제는 흐릿해진 유년 시절의 어느 날 내가 우는 걸 본 체도 하지 않았던 횟수만큼, 숨이 가빠질 때까지 나를 내버려 둔 횟수만큼 평생.

바로 그런 마음에서 이 글은 비롯되었다.

정가을

그러니까
동리는

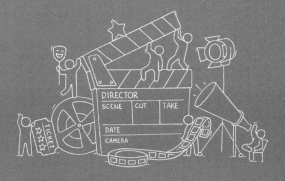

쿠키 영상

　예로부터 인간은 눈에 보이는 모든 것에 이름을 지어주었다. 이름을 존재의 증명으로 쓰는 이 행동은 가끔 당혹스러운 일을 불러일으키기도 했다. 가령 히피나 보헤미안의 경우 자식의 이름을 고향이나 출생지의 명칭에서 따와 붙였다. 만약 아기가 강원도 정선에서 태어났다면 아기의 이름은 정선이 될 것이다. 뭐 정선의 경우는 양호하다고 말할 수도 있겠다. 아기가 태어난 곳이 양양이었다면 아기의 이름은 양양이 될 것이고 부모의 성도 양이라면…… 여기서 양양양이 이상하게 받아들여지는 이유는 양양양이 태어나기 이전에 인간들이 들판 위에서 떼를 지으며 몰려다니는 생명체에게 양이라는 이름을 붙였기 때문이다. 그러니 양에게도 양양양에게도 잘못은 없다.

　동리 사람들이 동리에게 '동리의 나무'라는 별명을 주고, 부르기 시작한 것도 마찬가지였다. 동리는 동해 구석에 자리한 작은 마을로 조선시대 동씨 성을 가진 자들이 모여 살던 집성촌에서 비롯되었다고 한다. 지금은 동씨 성이 아닌 사람들이 꽤 많은데 손이 귀해서 그렇게 되었다는 말도 있고 대부분 도시로 떠나버려 그렇게 되었다는 말도 있었다. 여하튼 사람이 존재하지 않는 미래의 동리를 두려워하는 동리의 사람-장년층에서 노인까지-들이 저들끼리 약간의 특별함을 추구하는 것이었다.

동리에게도 잊히고 싶지 않은 마음 정도는 있거든.

성연은 노인들의 한탄에 고개만 끄덕이다가 집으로 돌아왔던 날을 떠올렸다. 그들은 날이 추울 때를 제외하고는 항상 마을 초입 평상마루에 모여들었다. 음식들을 나누어 먹고 미래의 동리에 대해 의논하는 것 외에 별다른 일을 하지는 않았다. 그날 이후 성연은 동씨 성도 아닌 데다 도시에서 내려온 자신이 동리 사람들에게 매우 흥미로운 존재라는 사실을 깨달았고 이내 마을을 오갈 때 그들과 마주치지 않으려 애썼다. 주름이 자글자글한 눈매와 상반되게 노인들의 눈빛은 늘 반짝거렸고 하루 내내 햇볕 아래에 있어 쿰쿰하기보다 포근한 냄새를 풍겼지만 성연에게 문제는 그게 아니었다. 노인들은 성연과 마주칠 때마다 함께 앉아 갓 찐 감자나 고구마 따위를 먹길 바랐다. 성연이 손사래를 치면 노인들은 더 이상 성연을 귀찮게 하진 않았으나 거절하는 일에도 피로가 쌓이는 건 매한가지였다. 자신이 이방인이기 때문일까. 성연은 이따금 자신이 동리에서 태어난 동 씨였다면 어땠을지 상상해 보곤 했다. 손이 귀했다고 하니 아주 태어나지 않았을지도 몰랐다.

성연은 종종 동리의 나무를 보러 갔다. 동리 사람들이 동리를 동리의 나무라고 부르는 주된 이유였다. 그러니까 동리는 동리의 나무 그 자체였고 동리가 동과 리의 줄임말이라고 생각하는 타지 사람들에게도 효과적인 작명이었다.

동리의 나무는 거대한 터 한가운데에 있었다. 당산나무나 팽나무와 유사한 모양이었는데 누구도 나무의 종을 정확하게 알고 있지 않았다. 터에는 동리의 나무를 제외하고는 무엇도 두지 않기로 약속한 것처럼 텅 비어 있었다. 마치 모든 것이 불타 없어지고 그 재마저 바닷바람에 날아간 것처럼. 다만 동리의 나무가 여타 다른 풍경과 달리 보이는 건 한가운데로 향할수록 지대가 낮아져 움푹 파여있었기 때문이었다. 나무를 제외하고는 아무것도 없었으나 비가 내리면 물이 고일 터였다. 성연은 동리를 동리의 나무라고 부르는 사람들을 떠올리며 종종 그곳을 거닐었다. 바다에 갔다가 돌아가는 길에 들르는 루틴이었다. 그러다가 가끔 경서와 마주치면 함께 걷거나 그가 캠코더로 촬영하는 모습을 구경했다. 경서는 아직 열여섯 살밖에 되지 않았지만 성연과 엇비슷할 정도로

키가 컸다.

왜 사람들이 동리를 동리의 나무라고 부르는지 알아요?

한 번은 성연을 향해 캠코더를 든 경서가 물었다.

아니.

그러자 경서는 걸음을 멈추고는 땅바닥에 털썩 주저앉아 성연을 올려다보았다.

동리에 남은 게 나무뿐이라 그래요.

경서가 초점을 맞추려는 듯 양손으로 캠코더를 쥐고 파인더에 눈을 더 가까이 대었다.

Part 1. 예측 불가능성에 대해서

아이들은 모두 영배 씨의 어깨에 매달리고 싶어 했다. 아마추어 단편 영화의 제목이자 첫 내레이션인 이 한 줄의 문장을 영배 씨였던 성연은 그다지 좋아하지 않았다. 이 영화는 성연이 대학 영화 동아리에서 처음 찍었던 영상물—성연은 그렇게 생각한다—로 한 기수 선배였던 태주가 직접 각본을 쓰고 연출을 맡았다. 이 영화는 성연이 처음 태주와 말문을 트게 된 이유이기도 했다.

동아리방은 대체로 갈 곳을 잃은 부원들이 상주하는 공간이었다. 신입생으로 입학하자마자 세 시간 공강을 만들어버린 성연은 금요일 한 시에서 네 시까지 동아리방에 머물렀다. 학과 동기들과 카페나 도서관에 가기도 했지만 아주 가끔이었다. 금요일에 수업을 신청하지 않은 사람들이 많았기에 웬만하면 동아리방이 비어 있었고《네 멋대로 해라》,《12인의 성난 사람들》같은 고전 영화를 보기에 이만큼 적합한 장소가 없었다. 성연이 태주와 처음 마주친 날도 금요일이었다.

너 나랑 영화 찍을래?

인사조차 하지 않고 대뜸 함께 영화를 찍자는 태주에게 성연은 얼결에 좋아요-라고 대답했다. 오케이. 답을 받은 태주는 별다른 설명 없이 다시 침대에 누웠다. 성연은 보려고 한 영화를 재생하는 대신 방금 일어난 일에 대해 곰곰이 생각했다. 가만히 앉아 돌아누운 태주의 등이 규칙적으로 움직이는 모습을 볼수록 의아했다. 저 사람은 내가 누군지 알기나 하고 하는 말인가. 계획이 있긴 한 거겠지. 태주와는 개강 총회에서 본 적이 있으나 사람들이 많아 이야기를 나누기는 커녕 같은 테이블에 앉지도 못했었다. 그러니 제대로 된 인사는 이번이 처음이었다. 잠시 후 태주는 코를 골기 시작했다. 성연은 태주의 코골이를 들으며 더 고민하지 않고 제안을 수락한 게 조금 성급했다고 생각했고, 태주가 항상 검은색 옷만 입는 이유를 듣고 나서는 약간 후회했다.

이 세상엔 애도할 일들이 천지니까.

성연이 으음 소리를 내며 어깨를 들어 보이자 태주가 덧붙였다.

뭐 묻어도 잘 안 보이기도 하고.

태주의 영화는 보육원 출신의 영배 씨가 성공한 사업가가 되어 보육원 교사인 한 여자와 사랑에 빠진다는 내용이었다. 영배 씨는 그 보육원을 인수하기까지 하는데 알고 보니 여자는 물고기였고 결국 바다로 돌아가 버리는 결말이었다. 영화의 마지막 장면은 모래사장에 주저앉아 있는 영배 씨를 중심으로 열댓 명의 아이들이 그에게 매달려 있는 모습이었다.

동아리방에 모여 가편집본을 함께 보던 날, 제목이 너무 길다는 컴플레인 아닌 컴플레인을 제외하면《아이들은 모두 영배 씨의 어깨에 매달리고 싶어 했다》에 대한 반응은 동아리에서 찍었던 다른 영화들에 비해 성공적이었다. 겉멋만 든 새끼. 선배 하나가 제목을 이유로 태주를 향해 웃으며 말했다. 분위기를 험악하게 만드는 어조는 아니었으나 성연은 저가 되려 기분이 나빠 괜히 아무 말 않았다. 그러자 태주가 웃으며 선배에게 대답했다.

조언 새겨듣겠습니다.

그리고 태주는 끝내 제목을 바꾸지 않았다.

영배 씨, 제목이 핵심이야. 너도 알잖아?

그렇죠, 뭐.

태주는 대답이 미적지근하다며 성연의 등을 팍팍 때리고는 한숨을 내쉬었다. 당시 성연은 태주의 의견에 전적으로 맞장구를 쳐주지는 않았으나 실은 그도 알았다. 조금 투박하긴 해도 더 좋은 제목을 찾기는 어렵다는 사실을. 어쨌든 성연이 태주의 영화를 좋아하지 않았던 첫 번째 이유는 영배 씨인 자신의 연기를 눈 뜨고 볼 수 없었기 때문이었다. 다른 사람이 될 수 있다는 묘한 자극 혹은 무의식적으로 숨겨온 모습을 꺼내 보일 수 있겠다는 성연의 욕망은 이 영화를 통해 박살 났다. 예술을 한다는 묘한 자긍심과 특별함 띠위는 평소 제 모습과 다를 바 없는 화면 속 성연-영배 씨-을 보며 사라져 버렸다. 모든 게 이상해요! 성연이 술에 취해 웅얼거리자 태주가 대꾸했다.

당연하지, 영배 씨. 넌 성연이니까.

태주는 그러면서도 성연을 줄곧 영배 씨라고 불렀다. 성연이 《아이들은 모두 영배 씨의 어깨에 매달리고 싶어 했다》를 좋아하지 않았던 두 번째 이유였다. 대학을 졸업하고 동리에 내려온 후에도 잊고 있었던 이 영상물의 제목을 떠올린 건 태주가 성연에게 메일 한 통을 보내왔기 때문이었다. 동리의 나무에 산다는 소식을 알게 되었다는 말로 시작된 메일은 촬영 로케를 가려고 하니 하루에서 이틀 정도 동리에 머물게 해달라는 부탁으로 끝났다. 마치 오늘 저녁을 함께 먹지 않겠느냐는 투였고 동리 사람들을 제외하고는 동리를 동리의 나무라고 부르는 사람을 처음 본 탓에 성연은 태주와 연락을 하지 육 년이 다 되었다는 사실을 순간 망각했다. 태주는 항상 그랬다. 성연은 예측 불가능한 것들을 좋아하지 않았고 태주는 예측 불가능한 사람이었다. 성연이 정착이라는 단어에 사로잡혀 변화를 겪는 동안 태주는 여전히 영화를 찍고 있던 것이었다. 연기는 하는 게 아니라 그냥 느끼는 거야. 성연은 태주의 말들을 떠올리며 동리에 오는 날짜를 묻는 회신을 보냈다.

"이메일 주소 알려줘요. 영상 보내줄게요."

경서가 성연에게 메모장을 건네었다.

"담배 피울 거니까 저기로 가."

하지만 경서는 여전히 성연의 옆에 서 있었다.

"너희 엄마 아빠가 보면 나 집 새로 구해야 해."

"여기 잘 안 오는 거 알잖아요."

성연의 메일 주소를 살피던 경서가 대꾸했다.

경서는 동리의 나무에서 몇 채 되지 않는 이층집에 살았다. 이 층이 경서네가 사는 곳이고 일 층은 원룸이었는데 두 가구로 분리되어 만들어져 있었다. 원래 그곳에서 성연과 서울에서 내려온 대학생 하나가 살았었는데 공무원 시험에 합격했다며 서울로 올라가 버려 남은 사람은 성연뿐이었다. 경서의 부모가 방이 비었다는 공고를 냈으나 한 달째 방은 비어 있었다.

경서의 부모는 재배한 머루를 술로 만들어 납품하는 일을 업으로 삼고 사는 사람들로 경서를 낳기 전 동리에 보금자리를 꾸렸다고 했다. 아침 일찍 나가 해가 저물고 난 뒤에야 집으로 돌아왔기에 외동인 경서는 늘 혼자였다며 담담하게 말했다. 지긋지긋한 동리. 캠코더에 줄을 달아 늘 손목에 매달고 다니며 동리의 이곳저곳을 담을 때도 경서는 지긋지긋한 동리라는 말을 입에 달고 살았다. 성연은 경서의 심정을 알 것 같다고 생각했다. 경서가 곧 입학할 고등학교는 자전거를 타고 사십오 분 정도 가야 했고 경서를 제외한 다른 아이들은 대부분 고등학교 옆에 새로 지어진 아파트 단지에서 살았다.

"어제는 외국 영화를 봤는데요. 특별한 능력이 있는 아이들이 나와요. 그중에는 시간을 되돌릴 수 있는 사람이 있어서 매번 똑같은 하루를 살게 만들어요. 똑같은 시간대에 똑같은 음식을 먹고 똑같이 놀고 자는 거죠. 그렇게 하지 않으면 그들이 사는 곳에 폭탄이 떨어지는 시점도 달라지거든요. 죽음을 막기 위해서 그러는 거예요."

경서가 말을 멈추더니 숨을 크게 들이쉬었다. 성연은 영화의 제목을 물으려다 경서가 다시 말하기를 기다렸다. 경서는 영상학과에 들어가 다큐멘터리 감독이 되기를 꿈꿨다. 성연은 그걸 알게 된 뒤 자신이 경서와 비슷한 나이 때 영화 일을 꿈꿨다는 사실을 말하지 않기로 다짐했다.

"근데 저 같으면 그냥 죽을 것 같아요. 재미없잖아요. 의미도 없고요."

경서는 동리를 떠나고 싶어 했기 때문이다.

"그리고 혹시 몰라요. 죽지 않을지도."

폭탄이 터질 때 삶에 대해 생각하거나 혹은 죽음에 대해 생각하는 사람이 있을 것이다. 경서가 삶에 초점을 맞추었다면 성연은 어느 쪽에도 관심을 두지 않았고 성연 자신도 그 사실에 대해 잘 알고 있었다. 《아이들은 모두 영배 씨의 어깨에 매달리고 싶어 했다》 이후에도 영화 동아리에서 짤막한 영화들을 찍었고 4학년이 되고 나서야 배우와 작가에 대한 꿈이 어느 순간에 멈춰버렸다는 사실을 깨달았다. 성연은 막연하게 상상해 온 미래를 생각보다 빨리 내려놓게 되자 이번에는 현실에 집중하기로 결심했다. 전공을 살려 선생님이 되고자 했고 초과 학기를 다니면서까지 교직 이수를 통해 교원자격증을 얻었다. 그러나 임용고시는 시도할 자신조차 없었고 자리가 자주 나오지 않아 사립학교에 취직하는 일도 어렵다는 것을 실감하니 이미 스물여덟이었다. 성연은 그 모든 과정에 있어서 스스로 최선의 노력을 다했다고 생각했다. 동시에 단 한 번도 본인을 붙잡는 손길이 없었다는 사실이 그에게 동리로 향할 용기를 주었다.

"영화 보다가 잘 때 놓치지 말고."

경서와 성연이 집에 도착했을 때는 이미 해가 지는 중이었다. 성연이 대문을 지나 계단을 오르는 경서의 뒷모습을 향해 외치자 경서는 네- 하고 짤막하게 대답한 뒤 집으로 들어가 버렸다. 현관문이 닫히는 소리를 듣고 난 뒤에야 성연은 제집의 비밀번호를 눌렀다. 많은 것을 소유하는 타입이 아닌지라 성연의 집은 미니멀하고 깨끗했다. 집 안에 음식 냄새가 배는 것이 싫어 냉장고에는 마른반찬과 소분해 둔 밥이 전부였고 찬장에는 양주 몇 병과 통조림 식품들이 나름의 열을 맞춰 놓여 있었다. 성연은 저녁밥을 먹는 대신 데스크탑 앞에 앉았다. 구글 이메일 함에 들어가자 3분 전에 도착한 경서의 메일과 홍보성 광고 메일, OTT 플랫폼에서 온 요금 안내 메일 그리고 태주에게서 온 메일이 있었다. 영배 씨-라는 제목의 메일은 모레 저녁 다섯 시 무렵 도착할 듯싶다, 핸드폰 번호가 없으니 확인하면 알려달라는 짤막한 내용을 담고 있었다. 태주가 동리에 온다고 했던 게 벌써 이번 주였나. 성연은 방 안을 둘러보았다. 간이침대가 있었고 둘이 지내기에 비좁은 공간은 전혀 아니었으나 경서의 부모에게 숙박비를 내고 빈 원룸을 써도 되겠냐고 물어볼 필요는 있겠다는 생각이 들었다.

'왜 사람들이 동리를 동리의 나무라고 부르는지 알아요?'

'아니.'

'동리에 남은 게 나무뿐이라 그래요.'

영상 속 화면은 특유의 빛바랜 느낌을 자아냈고 실제보다 느리게 움직이는 것처럼 보였다. 경서는 성연이 생각했던 것보다 훨씬 더 철저히 성연이라는 피사체에 집중해서 영상을 찍은 듯했다. 성연은 화면에 가득한 제 모습을 보며 다시 한 번 태주를 떠올렸다. 태주는 어떻게 찍었더라. 여전히 검은 옷만 입을까. 동아리에서 그나마 친했었지. 성연이 두 눈을 꾹꾹 눌러 비볐다. 대학 시절 자주 들었던 샹송 하나가 귀에서 맴도는 듯했다. 불문학과였던 전 애인이 추천해 준 곡으로 태주 또한 즐겨 듣던 노래였다.

Je n'ai plus de vie et meme mon lit. Ce transforme en quai de gare. Quand tu t'en vas...... Cet amour me tue si ca continue Je creverai seul avec moi Pres de ma radio comme un gosse idiot Ecoutant ma propre voix qui chantera......

당신 떠나고 제 삶은 움직이길 멈춰버렸죠. 침대조차도. 당신 떠난 후 쉴 곳도 없어요. 그건 열차 플랫폼이 되어버렸죠...... 이제 이 사람은 끝내 날 죽이겠죠. 차라리 스스로 죽겠어요. 라디오 옆에서 철없는 아이처럼 내 목소리를 듣고 있어요......

회색의 길이라는 제목이지만 직역하면 난 아파요-라는 의미의 이 노래를 애인과 헤어지고 나서도 성연은 꽤 자주 듣고는 했다. 그녀가 어느 여름밤 태주에게 예술충 새끼라며 히히덕거렸던 선배와 술에 취해 편의점에서 초박형 콘돔만 잔뜩 사 가는 모습을 보기 전까지는. 사실 성연은 그 모습이 아무렇지 않게 느껴졌기에 더더욱 난 아파요를 듣지 않아야겠다고 다짐했었다. 그깟 제목이 뭐라고. 그냥 이름일 뿐인데 뭐가 그렇게 달라지나 싶으면서도 미련해 보이기는 싫었다.

'지긋지긋한 동리.'

짤막한 영상은 경서의 말로 끝이 났다. 마지막 씬인 동리의 나무 위로 처음부터 다시 보기 버튼이 둥둥 떠다녔다. 한참 동안 동리의 나무를 바라보던 성연은 엔터키를 누르고 이내 문서함에 들어가 수정본이라는 이름을 가진 수많은 파일들을 살피기 시작했다.

Part 2. 가을이 싫어

　머루는 9월에서 10월이 제철이었다. 해서 경서네 분위기는 초가을에 가장 밝거나 어두웠다. 경서가 자신이 부모와 닮았다는 사실에 대해서 더는 부정하지 않기로 한 것도 작년 가을 무렵이었다. 경서가 자주 듣는 록 음악의 LP 대부분이 아버지 방 한편에 보관되어 있음을 알았을 때-아버지 말로는 어머니를 만나기 전부터 수집해 온 것들이라고 한다-도. 외할머니가 돌아가시기 직전 경서의 어릴 적 사진을 꼭 쥐고 어머니의 이름만 불렀을 때도 경서는 자신이 부모와 다르다고 스스로에게 말했다. 아버지와 어머니는 동리에 대해 아무 생각도 없었으니까. 그들의 관심이 점점 더 머루에 향할수록 경서는 혼자서 시간을 보내는 데에 익숙해져 갔다. 그렇다고 아버지와 어머니가 동리 밖에서 살아볼 생각을 조금도 하지 않았던 것은 아니었다. 동리에는 경서 또래의 아이들이 없었다. 학교에 갈 때가 아니고서야 앳된 얼굴들을 보기 힘들었다.

　항상 좋아 보여, 아가. 네가 있어서 다행이다.

가끔 동리의 노인들은 길에서 경서와 마주치면 이렇게 말했다. 그럴 때마다 경서는 꾸벅 허리를 숙여 보이고 지나쳤다. 정말 그들의 눈에는 좋아 보이는 것일까. 자신이 동리에 남아 있을 거라고, 동리는 그렇게 살아질 거라고 믿는 게 분명했으니 더 할 말이 없었다. 경서는 노인들이 주책을 떤다고 생각했다. 동리를 동리의 나무라고 부르든, 동리라고 부르든 달라지는 건 없었다. 아무 힘 없는 희망이 생길 뿐 그런 희망만 가진 사람들은 이내 행동하기를 잊었으니까.

그러니 경서의 주위에는 낡고 오래된 것들이 가득했다. 사춘기에 이르고 난 경서는 자신이 죽어가는 풍경에 둘러싸여 있다고 결론지었고 마찬가지로 낡고 오래된 캠코더-아버지가 젊을 때 산-로 눈에 보이는 모든 것들을 담기 시작했다. 거대한 터의 나무도 경서에겐 동리의 노인들과 다름없는 존재였다. 다만 운이 좋게 드넓은 곳을 혼자 차지함으로써 특별한 대접을 받는 거라고, 자신이 동리에서 살길 선택하지 않은 것처럼 나무도 나무의 의지로 동리에 자리한 건 아니었으니 둘 다 잘못은 없다고 판단했다.

그리고 경서의 한탄을 들은 성연은 말했다.

다들 던져진 거야. 이유 없이.

경서가 다니는 중학교에는 아이들과 교사들의 머릿수가 비슷했다. 3학년 아이들은 총 18명으로 한 반에 아홉 명씩 2

학급이 있었다. 서로를 모를 수가 없는 환경이었지만 경서는 아이들과 어울리기 위해 나서는 부류는 아니었다. 어렸을 적부터 알고 지냈던 A를 제외하고는 대화 정도만 할 뿐이었다. 경서는 1반이었고 A는 2반이었다. 둘은 오래전부터 따로 약속하지 않아도 점심시간에 운동장에서 만나 이야기를 나누었다. 시끄럽게 떠드는 것보다 조용한 공간에 머물기를 선호하는 경서의 고집으로 시작된 일종의 습관이자 둘 중 누구도 어겨보지 않았기에 이어질 수 있는 익숙함이기도 했다.

누구야.

캠코더를 이리저리 살피다가 성연을 찍은 영상을 본 A가 경서에게 물었다.

서핑하는 사람.

경서의 답을 들은 A는 입술을 삐죽거리며 중얼거렸다.

동리 사람인가 보네.

경서는 A가 입술을 삐죽거리는 이유를 잘 알았다. A는 경서의 캠코더에 자신이 담기기를 원했다. 반면 경서의 캠코더 불빛은 한 번도 A를 향해 깜박거린 적이 없었다. 그리고 그 이유에 대해 A가 내린 결론은 자신이 동리 사람이 아니어서-였다. 아무리 골몰해도 서핑하는 사람과 자신의 차이점은 거주지가 전부였기 때문이었다. 하지만 경서의 시선이 A에게 향하지 않는 이유는 단순히 장소라는 범위에 한정한 것이 아니었다. A는 낡거나 오래되지 않았으며 무언가를 숨기려 드는 사람이 아니다. 그러니까 경서는 A를 보며 어떤 궁금증도 얻지 못했던 것이었다.

성연이 동리에 자리를 잡은 건 8개월 전이었다. 어머니가 서핑 자격증을 가진 청년이 도시에서 내려올 거라는 말을 들었을 때까지만 해도 경서는 제집의 아래에 누가 살든 상관없다고 생각했다. 귀촌을 꿈꾸며 내려온 딩크 부부는 두 달도 채우지 못하고 도시로 가버렸고 간간이 들어오는 고시생들은 어차피 시간이 지나면 동리를 떠날 사람들이었다. 그들에 비해 성연의 첫인상은 완전히 동리에 정착할 것처럼 보였다. 항상 자전거를 세워두었던 자리에 선 용달차가 꽤 컸다는 점, 실린 물건들 대부분이 새것처럼 보였다는 점에서 그러했다. 그중 경서의 시선을 끌었던 건 여러 영화 포스터와 프랑스나 독일 같은 유럽계 작가들의 책들, 그리고 성연이었다. 전혀 힘이 없어 보이는 생김새였으나 팔과 다리에는 단단한 근육들이 붙어 있었다. 담배를 지져 끈 뒤 꼭 틴케이스에 넣는 모습을 보며 경주는 그가 음울하면서도 건강한 사람이라는 인상을 받았다.

성연이 동리로 이사한 지 일주일 정도 지난 즈음 경서의 부모는 그를 저녁 식사 자리에 불러내었다. 세입자와 집주인의 관계를 상기시켜 주려는 의도와 그가 동리에 오래 남아 있었으면 좋겠다는 마음이 공존하는 초대였다. 경서네 부모는 갓 떠온 회와 석화 같은 해산물부터 나물밥과 머루주까지 꽤 정성 들인 요리를 내어놓았다. 동리에는 명소가 많아요. 동리의 나무 아시죠. 샛길로 자전거 타고 이십 분 정도 달리면 작은 해변도 있어요. 화장실에서 담배 피우는 건 조금 그러니까. 애 아빠도 맨날 나가서 피우거든요…… 늘 빠르게 밥을 먹고 방으로 들어갔던 경서도 어느 때보다 천천히 회를 씹었다. 성연이 식사하는 속도가 느렸던 탓이었다. 그는 어느 정도 예의를 차리는 법을 알고 있었는데 가령 한 손으로 잔을 들어 받거나 입을 대었던 젓가락으로 반찬을 집지 않았다. 성연은 경서의 아버지가 따라주는 머루주를 족족 받아 마셨고 처음에는 멀쩡한가 싶더니 한 시간 정도 지나자 얼굴이 새빨개진 채로 잔을 하나 깨뜨렸다. 성연이 깨뜨린 잔이 온 사방으로 퍼지는 순간 경서는 오늘의 식사 자리가 끝났음을 깨닫고 자리에서 일어섰다.

안녕하세요.

늦은 밤 대문을 열고 나온 경서는 예상치 못한 목소리를 들었다. 뒤를 돌자 성연이 담벼락에 기대고 앉아 있었다. 경서가 손목시계를 힐끗 바라보았다. 식사가 끝난 지 두 시간 정도 지났는데 성연의 얼굴은 아직도 발그레했다.

네, 안녕하세요.

미안해요, 술을 못해서. 부모님께도 죄송하다고 전해줘요.

성연이 고개를 푹 숙이고 웅얼거렸다.

그럴게요.

경서가 자전거 바구니에 넣어둔 필름을 꺼내 들며 답했다. 술도 못 마시면서 주는 대로 마신 걸 미련하다고 말하기에는 성연의 모습이 조금 안쓰럽게 보였다.

손에 힘줄 수 있어요?

성연이 팔을 쭉 뻗더니 양손을 쥐어 보였다. 경서가 자전거에 앉아 살짝 고갯짓하자 순순히 자리를 잡더니 경서의 허리를 꽉 끌어안았다. 바람이 차갑지는 않았으나 경서는 느리게 페달을 밟았다. 혹여나 성연이 떨어질까 봐서였다.

경서가 성연을 데리고 온 곳은 동리의 나무가 있는 터였다. 두 달 전 설치한 가로등 때문에 어둡지는 않았다. 초록 잎이 선선한 바람에 휘날리며 가로등 불빛에 반짝거렸다. 둘은 자전거에서 내려 나무를 바라보고 섰다. 나무의 주위에 물이 얇게 고여 있었다. 성연이 나무를 향해 걸어가자 경서가 뒤를 따랐다. 성연은 이따금 휘청거렸으나 넘어지지는 않았다.

내려가고 있는 것 같네.

어디에서 출발하든 나무와 가까워질수록 지대가 낮아져요.

어디에서 출발하든.

성연이 경서를 따라 소리 내어 되뇌었다.

"내가 제일 아꼈던 거야."

성연이 코맹맹이 소리로 경서에게 지관통 하나를 내밀었다. 감기 걸렸어요? 응. 성연은 자신을 잘 찍어주어 고맙다는 의미를 담은 답례라고 했다. 경서는 돌돌 말려 있는 포스터를 펼치자마자 세 명의 인물과 REALITY BITES라는 큼지막한 단어를 보고는 오-하고 소리를 내었다. 관리를 잘했는지 젊은 시절의 위노나 라이더와 두 명의 남자-얼굴은 알지만 이름은 모르는-들의 얼굴이 반질반질했다.

"청춘 스케치네요."

성연이 고개를 끄덕였다. 봄에 개업할 예정이었던 서핑 강습소에 붙여둘까 고민하던 차에 더 잘 어울리는 주인을 찾아간 듯싶어 기분이 좋았다.

"그리고 남은 주에 좀 바쁠 것 같아. 아예 못 볼지도 몰라."

바람 소리와 성연의 목소리가 섞여 공터에 울려 퍼졌다. 경서가 살짝 인상을 찌푸렸다. 나무를 보며 중얼거린 말이었기에 자신을 보지 못한다는 건지 나무를 두고 한 말인지 감이 잡히지 않아서였다.

"봄에 열 거라면서요. 벌써……"

"대학 친구가 온다고 했거든."

성연이 담배를 물고 손짓하자 경서는 보지 못한 척하며 포스터를 감기 시작했다. 말 참 안 듣네. 성연이 투덜거리며 틴케이스에 담배와 라이터를 집어넣었다. 친구. 경서는 살짝 고개를 돌려 성연의 옆얼굴을 바라보았다. 성연에게 친구가 있을 거라고는 한 번도 상상해 본 적이 없었다. 마치 자신과 A 같은 관계일지 아니면 그보다 멀거나 가까운 사이일지 몰랐다. 무엇보다도 웬만큼 친하지 않으면 동리까지 내려오진 않을 테였다.

"외로워요?"

"글쎄."

성연이 턱을 긁적였다.

"외로운 건 아닌 것 같아."

하지만 경서는 성연의 말을 완전히 믿지 못했다. 스스로에게 주는 말처럼 들렸기 때문이었다. 모든 걸 두고 서핑을 업으로 삼게 된 이유를 물었을 때도 비슷한 답을 받았었다.

바다에 있을 때 제일 편안하잖아.

경서는 꼬리에 꼬리를 무는 추측을 성연에게 굳이 말하지는 않았다. 자신이 그에게 많은 관심을 두고 있는 것처럼 보이기도 싫었거니와 그가 오래전 영화를 찍었다는 사실을 알고 있던 탓이었다. 유튜브에서 학생 영화 몇 편을 보자 알고리즘은 추천 목록에 몇 년 전에 업로드된 영화까지 띄워 주었고 그 바람에 성연이 출연한 영화를 보게 된, 우연한 흐름으로. 계정주는 개인인 듯 보였으나 엔딩크레딧에 K대 영화 동아리-라는 문구가 떡하니 올라와 있어서 경서는 성연이 대학 시절 제 의지로 영화를 하길 자처했음을 깨달았다. 이후로 대학에 가면 영화 동아리 같은 것도 있겠죠-하고 묻기도 했지만 성연은 그렇지 않을까 하고 말을 아꼈다. 단순히 저에게 말할 필요를 느끼지 못했을 뿐이라도 경서는 성연과 자신의 관계가 조금 불공평하다고 생각했다.

"따뜻해지면 서핑하는 법 꼭 알려줘요."

"언제든지."

성연이 작게 기침했다. 약속했으니 적어도 여름이 되기 전에 떠나지는 않겠지. 경서는 고개를 끄덕이고는 지관통을 꼭 끌어안았다.

Part 3. 아이들은 찍기만 해도 영화라고

태주가 자신의 영화에 매번 아이들이 등장한다는 걸 깨달은 건 최근이었다. 대학원 후배가 형 영화 들어가면 제일 어려운 게 애들 다루는 거예요-하고 투덜거렸기 때문이었다. 그는 왜 지금에서야 그 사실을 깨달은 건지 조금 놀랐고 이내 본인의 삶을 돌아보기 시작했다.

태주의 어머니는 고등학교 교사였고 아버지는 국가 산업에 종사하는 화학 연구원이었다. 어린 시절을 떠올리면 특별히 기억나는 건 없었다. 아버지는 항상 바빴고 어머니는 매사에 초연했으니까. 두 사람은 서로에게 마구 애정을 표현하지는 않았으나 분명 서로를 존중했다. 물론 형제나 애완동물도 없었기에 복작거리는 집안 풍경은 좀처럼 찾아보기 어려웠고 그렇다고 큰 상처나 어려움을 안고 있던 분위기도 아니었다. 한 가지 사건이라면 태주가 초등학교에 입학할 무렵까지 어머니가 세 번의 유산을 겪은 일인데 태주는 이를 성인이 되고 나서 알게 되었다. 그러니까 어머니가 거듭 유산을 한 일도 태주의 가족에게 큰 영향을 주었던 건 아니었다.

원하는 답을 얻지 못한 태주는 계속 아이들이 출연하는 영화를 찍기로 결심했다. 너 그거 너무 치트키인 거 아니야? 태주의 이야기를 들은 선배 하나가 말했다. 아이들은 찍기만 해도 영화라는 건 모두가 심심찮게 동의하는 조건이었다. 태주는 텅 빈 듯싶기도 하고 묘하게 찝찝한 것 같기도 한 제 마음—어쩌면 존재 자체—을 세세하게 설명하기는 싫었다. 세상에 말로 정의 내릴 수 없는 건 너무도 많았다. 자신은 M을 말했는데 누군가는 m으로 알아듣기 일쑤였다.

글쎄요. 전 말은 다 구라라고 생각해서.

태주의 말에 선배가 한숨을 내쉬었다.

그게 뭔 개소리니.

선배와 헤어지고 나서도 말에 대해 생각하던 태주는 말을 못 하는 한 아이를 떠올렸다.

남자가 애인과의 이별을 겪고 바다를 찾아온다. 대학원생인 남자는 무선 와이파이 공유를 통해 해변에서 실시간 수업을 듣는다. 그러나 연결이 끊기고 곧 노트북 배터리도 나가버리고 만다. 이때 한 아이가 나타나 남자의 가방을 뒤져 음식을 먹어 치운다. 아이의 목에는 흉터가 있다. 아이는 말을 하지 못한다. 아이는 남자를 이끌고 해변을 걸어간다. 둘의 발걸음이 닿은 곳에는 큰 터가 있다. 터 가운데에는 비석이 자리하고 있으며 팔 년 전 오늘의 날짜가 새겨져 있다. 드넓은 터는 원래 호텔이 있던 자리다. 이틀에 걸쳐 청각 장애인들의 편의를 위한 기술 발명 체험형 콘퍼런스가 열렸으나 첫날 밤 발생한 화재 경보를 듣지 못해 탈출 시도조차 할 수 없었던 이들의 희생을 기리는 내용이 비석 하단에 쓰여 있다. 아이는 바닥에 쪼그리고 앉아 나뭇가지로 생일 케이크를 그린 뒤 바람을 후 분다. 파도 소리 들리며 크레딧.

태주는 곧바로 사람들을 모았고 각본을 썼다. 여느 영화와 다름없는 시작이었는데 한 가지, 현지로케를 잡는 일이 문제였다. 미술부 스태프들이 골라온 장소들은 전부 비슷비슷했고 확실하게 태주의 마음에 들어오는 곳이 없었다. 그리고 더는 로케 컨택을 미룰 수 없을 지경에 이르렀을 때 태주는 성연의 블로그를 보게 되었다. '그러니까 동리는'이라는 제목의 게시물은 동리라는 마을에 대한 짧은 설명과 함께 성연의 시각이 담겨 있었다. 동리 사람들이 동리를 동리의 나무라고 부르는 것도, 각본에는 없는 커다란 나무가 심어진 공터도 태주의 호기심을 자극하기에 적당했다. 그는 직접 사전 답사를 가기로 마음먹었고 성연에게 메일을 보냈다.

성연. 얼핏 성연이 다른 지역으로 떠났다는 소식을 들은 듯도 싶었다. 다만 그 이유를 정확히는 알지 못했다. 동아리에서 성연은 주로 연기를 했으나 글에도 욕망이 있어 분기마다 꼭 각본을 하나씩 들고 왔다. 독창적인 결의 사람은 아니었는데 그래서 더 오래 영화를 할 수 있을 거라고 태주는 생각했다. 그는 성실했고 인내심이 강했으며 순간에 몰두하는 능력이 있었다. 친하지도 않았던 그에게 영화를 찍자고 권유한 것도 이 때문이었다. 동아리방에서 처음 눈이 마주쳤을 때 성연은 태주에게서 시선을 거두지 않았다. 그렇다고 먼저 말을 걸거나 다가온 것도 아니었다. 그저 계속 태주를 바라볼 뿐이었다. 시선을 거두는 방법을 몰라서 바라보기만 하는 듯이. 태주도 따라 성연의 눈을 올곧이 쳐다보았고 결국 그가 먼저 말을 걸었다. 만약 성연이 먼저 눈을 피했다면 태주가 성연에게 관심을 가질 일도 없었을 터였다.

성연은 일이 늦어질 것 같으니 먼저 마을을 둘러보고 있으라는 연락을 보내왔다. 봄에 열 서핑 강습소를 수리하고 있는 업자들과의 회의가 지연되었다는 이유에서였다. 태주는 경서네 집 담벼락에 차를 세운 뒤 카메라를 챙겨 들고 무작정 걷기 시작했다. 마을에 들어오면서부터 느꼈으나 동리는 흔한 시골 같으면서도 묘하게 인위적이었다. 사람 손을 탄 게 분명함에도 풍경 자체가 오랜 시간 어떤 계획 아래에서 만들어진 것 같았다. 지붕마다 알록달록한 색의 페인트가 칠해져 있었고 낡아 무너진 담장들을 허무는 대신 붉은색 벽돌로 구멍을 채운 모습이 눈에 띄었다. 나무로 만든 표지판은 길을 안내해 주었고 바다로 이어진다는 개울 위에는 작은 다리도 만들어져 있었다. 태주는 동리를 돌아다니며 어째서 영화팀 누구도 이런 곳을 찾아내지 못한 것인지 의문을 가졌다.

마을 초입까지 걸어간 태주는 한 무리의 동리 노인들과 마주쳤다.

"이리로 와서 앉아요."

연노랑 점퍼를 입은 노인이 태주를 불렀다.

"겨울인데도 그다지 춥지 않네요."

"원래 추운데 오늘은 이상하게 따뜻해."

동리의 노인들은 하나 같이 태주를 바라보았다. 젊은 사람이 외진 마을에는 어쩐 일로 오게 되었는지, 동리에 정착할 생각인지 묻더니 한 달에 한 번 회관에서 이른 저녁마다 영화 상영회를 연다는 것, 여름이면 골목마다 천막을 치고 나와서 자기도 한다는 둥 별별 이야기를 꺼내었다. 태주가 친구를 만나러 왔다고 답하자 노인들은 숫기 없는 청년이라며 성연에 대해 알은 척을 하기도 했다. 이어 태주가 동리를 왜 동리의 나무라고 부르냐고 묻자 그들은 마을 사람들의 말장난이자 진심이라는 답을 되돌려주었다.

"그건 얼마나 합니까?"

거의 말 한번 않던 노인 하나가 태주의 카메라를 가리키며 물었다.

"글쎄요. 선물 받은 거라. 제가 영화를 찍거든요. 이곳을 담아볼까 해서 가져왔습니다."

"여기가 나오는 거요?"

태주가 고개를 끄덕이자 연노랑 점퍼를 입은 노인이 손뼉을 쳤다. 노인들은 약간 흥분을 한 듯 보였는데 마치 고대해 왔던 새로움을 맞닥뜨린 어린아이 무리 같았다. 태주는 자신을 소원을 들어주는 요정 정도로 생각하는 듯싶어 멋쩍게 웃었다. 감독 양반, 우리도 나올 수 있고 그럽니까? 이 사람아, 우리가 뭘 할 줄 안다고 누가 찍어주겠는가. 왜요, 이런 사람 있고 저런 사람 있고 그런 거지. 젊은 양반 곤란하게 하지 말자니까 그러네. 그럼 우리 다 같이 사진 하나 찍어주면 안 됩니까?

동리의 나무는 크고 진한 초콜릿 색에 가까웠다. 울퉁불퉁한 표면은 선명했으며 새잎이 조금씩 날듯 말듯 했다. 노인들은 동리의 나무 앞에 일렬로 자리를 잡고 섰다. 태주는 흔쾌히 사진을 찍어 주겠다며 그들에게 나무가 자리한 터로 본인을 데려다 달라고 요청했다. 다리를 건너고 작은 숲을 지나 터에 이르렀을 때 태주는 다시 이곳에 오겠다고 마음을 먹었다. 성연의 말대로 나무에 가까워질수록 미세하게 내리막을 걷는 느낌이었다. 노인들은 나무 앞에 일렬로 서서 매무새를 정돈했다.

찍겠습니다. 하나, 둘, 셋. 카메라를 세팅한 태주가 손뼉을 치며 외쳤다. 노인들이 활짝 웃어 보였다. 벌어진 입의 크기는 모두 달랐으나 밝은 햇빛 아래서도 누구 하나 인상을 찌푸리지 않았다.

해결할 수 없는 무언가를 물려받을 수도 있을까. 노인들이 떠나고 동리의 나무 앞에 앉아 있던 태주는 한참을 생각했다. 엷고 희끗희끗한 노인들의 머리카락과 달리 태주의 머리카락은 새까맸다. 아주 까만 머리카락이 좋아 주기적으로 검은색 염색약을 사용했기 때문이었다. 동리로 돌아온 성연이 태주를 보고 한 첫 마디도 마찬가지였다.

여전히 검은색 옷만 입으시네요.

성연의 눈에 태주는 달라진 것이 없었다. 여전히 희멀건 피부나 바싹 다듬은 손톱 같은 부분들도 여전했다.

그러는 너는 커졌네.

태주는 성연에게 그렇게 말했다. 대학 시절 성연이 꽤 말랐던 탓이었다.

잘 지냈죠? 그럼. 간단한 인사를 주고받은 둘은 태주의 차를 타고 시내에 나가 회-성연은 밀치와 방어를 추천했다-를 먹었고 운전해야 하니 술은 돌아가서 마시자며 물을 들이켰다. 둘은 육 년간의 공백에 대해서 섣불리 언급하지 않았다. 대신 동리에 관해 이야기를 나누었다. 태주가 노인들과 나누었던 이야기를 시작으로 동리의 나무 앞에서 그들의 사진을 찍어 주었다고 말하자 성연은 이미 나무가 있는 터에 가보았냐며 살짝 놀란 듯 되물었다. 그는 종종 그곳에 가면 다큐멘터리 감독이 되고 싶어 하는 주인집 아이와 마주치기도 한다고 덧붙였다. 청춘 스케치 포스터도 선물했어요. 위노나 라이더 나오는? 네. 너 위노나 라이더 좋아했잖아. 그랬었지요.

그녀가 절도죄로 법정에 선 건 나중에 안 사실이었다. 성연은 사건에 꽤 놀랐는데 정확히는 그녀의 죄가 아닌 진술 때문이었다. 다음 배역을 위한 연기 연습이었다는 그녀의 말은 현실과 환상의 경계를 무너뜨리려는 시도였다. 그 후부터 성연은 그녀의 영화를 전처럼 자주 보지는 않았다. 가끔 생각이 날 때는 찾기도 했으나 끝까지 보는 경우는 드물었다. 범죄에 대한 불편함 따위의 단순한 이유는 아니었다. 그저 흥미가 사라졌을 뿐이었다.

둘은 자정이 되기 전 집으로 돌아왔다. 빈 원룸을 써도 되겠느냐고 경서의 부모에게 묻는 걸 잊은 바람에 성연은 간이침대를 펼쳤다. 태주가 오늘 찍은 동리의 이미지 파일을 정리하기 시작하자 먼저 씻겠다며 성연이 화장실로 들어갔다. 그리고 젖은 머리를 한 채 다시 나왔을 때 태주는 없었다.

대신 귀에 익은, 최근 떠올렸지만 찾아 듣지 않았던 노래가 집 안을 가득 채우고 있었다.

Je suis seule sans toi. Je suis laide sans toi. Je suis comme un orphelin dans un dortoir. Je n'ai plus envie de vivre dans ma vie. Ma vie cesse quand tu pars......

당신 없이 홀로되어 초췌한 모습으로. 마치 시설에 버려진 고아처럼 살고 싶지 않아요. 당신이 떠나고 내 삶은 움직이지 않아요. 더 이상 쉴 곳은 없어요......

현관문 사이에 슬리퍼가 끼워져 있었다. 성연은 외투를 껴입고 덜 마른 머리 위에 수건을 올린 채 담배를 챙겨 밖으로 나갔다. 태주는 담벼락 끝자락에 쭈그리고 앉아 담배를 피우고 있었다. 그의 발밑에 떨어진 꽁초 두 개에는 여전히 불빛이 반짝였고 연기가 타올랐다.

"아직도 저 노래 들어요?"

"자주 들어."

"변한 게 정말 하나도 없네요."

"그러는 너는 아직도 저 노래 안 들어?"

태주가 눈을 가늘게 뜨며 미소 지었다. 그는 세 번째 담배를 바닥에 떨어뜨린 뒤에야 발로 담뱃불을 완전히 지져 껐다.

"일부러 튼 거예요?"

"아니."

성연이 한숨을 내쉬며 담벼락에 기대어 섰다. 씻고 나온 네 얼굴 보니까 갑자기 생각났네. 태주가 덧붙였다. 문득 한 번도 저와 태주가 늦은 밤 취해 있지 않은 상태로 있던 적이 없었다는 사실이 실감 났다. 그들은 늘 마셨고 적당히 취했으며 아침에 잠들곤 했다. 태주는 소주를 좋아했고 성연은 소주보다 맥주를 선호했으나 그와 상관없이 둘은 함께 마셨다. 한 시절을 함께 보냈다는 사실-감독과 배우라는 다른 이름을 받은 것과는 별개로-이 미약하게라도 서로를 이어주고 있음을 둘은 잘 알고 있었다. 성연은 멀쩡한 정신으로 대화를 나누고 있는 지금이 누군가에 의한 연출 같다고 생각했다.

"영배 씨."

"그렇게 좀 부르지 마요. 촌스럽게 지어주질 말든가."

"난 이렇게 부르는 게 좋았어. 제대로 된 내 첫 영화였거든."

누군가의 간섭 없이 스스로 시작하고 마무리 짓는 일은 삶에서 그다지 많지 않았다. 태주는 성연과 함께 찍었던 그 영화를 감히 자신의 첫 작품이라고 이야기할 수 있었다. 촬영 내내 그리고 촬영이 끝나고도. 제목을 바꾸라는 의견에 굴하지 않은 것도 그 때문이었다.

"너는 왜 이곳에 왔을까?"

이제 태주는 완전히 고개를 돌려 성연을 바라보고 있었다. 서핑을 타는 청년. 노인들은 성연에 대해 그렇게 말했다. 태주가 기억하기로 성연이 물놀이를 그렇게 좋아하진 않았던 듯싶은데. 허리께까지 차오르는 물에서 둥둥 떠 있기만 한 건 아닐까. 태주가 픽 웃었다.

"뜻대로 되지 않는 것들도 있어요. 파도랑 같아요. 흐름이에요. 머무를 곳을 빨리 찾는 사람도 있지만, 아닌 사람도 있고. 그런 거죠. 근데 그 안에도요, 규칙은 있어요. 벗어날 수 없는. 결국 파도도 예측할 수 있는 거니까."

성연의 말이 끝나자 침묵이 감돌았다. 페달이 돌아가는 소리가 점점 가까워졌다. 성연이 담뱃불을 붙이려다 말자 태주는 담배 한 개비를 더 꺼내 들었다.

"우린 뭐든 될 수 있어."

태주가 말했다. 잠시 후 경서가 자전거를 끌고 왼쪽 골목에서 나타났다. 박살 난 캠코더가 자전거 바구니 안에서 탁탁 소음을 만들어 내고 있었다.

노인들은 '동리의 나무'가 동리를 두고 하는 말장난이자 진심이라고 정의했지만, 태주는 그 이면에 있는 어떤 마음을 읽어낼 수 있었다. 낡고 오래된 건 그게 무엇이든 의미를 얻는다. 세 명이 같은 말을 반복하면 거짓도 진실이 되듯이. 반복된 바람은 결국 실재를 만들어 내곤 했다. 대학 시절 태주의 과에는 준수하고 순수했던 한 선배가 있었다. 사람들은 그의 얼굴만 보고 여럿 울릴 사람이라며 장난을 쳤는데 그때마다 그는 수줍게 웃으며 한 번도 애인을 사귀어 본 적이 없다고 답했다. 그랬던 그가 몇 년 뒤 실제로 제대하고 복학한 후에 세 명의 후배와 바람을 피우는 바람에 한창 시끄러웠던 적이 있었다. 그러니까, 말은 힘을 가지고 있었다. 동리의 노인들은 동리의 맥을 이어가기 위해 그 어떤 행동도 하지 않았으나 본인들의 의지로 다룰 수 없는 어떤 힘을 믿는 듯했다. 경서는 그 행동을 두고 가망 없다―라고 단정 지었고 성연은 진실과 상관없이 행복하고 싶은 욕망이라고 말했지만 태주의 생각은 조금 달랐다.

서로를 위로하는 거지.

그러자 성연이 덧붙였다.

그런 건가요.

세월이 있으니까. 저 사람들은 그럴 권리가 있는 거야.

경서와 담벼락 앞에서 마주친 순간 둘의 대화는 끝이 났다. 부서진 캠코더를 들고 가는 경서의 뒷모습을 바라보면서 태주는 주인집 아이가 꽤 크다고 생각했다. 성연이 경서를 쫓아가 무슨 일 있었냐며 몇 번이고 물었지만, 경서는 끝까지 뒤를 돌아보지 않았다.

성연과 태주가 다시 집에 들어섰을 때 샹송은 멈춰 있었다. 둘은 이를 닦고 성연이 두껍고 커다란 담요를 꺼낼 때도, 태주가 샤워를 마치고 나온 후에도 별다른 말을 하지 않았다. 태주가 간이침대 위에 누워 꼼지락거릴 때에서야 성연이 불 끌게요– 하고 스위치를 눌렀다. 더듬거리며 제 침대를 찾아가 눕자 성연은 비로소 이 공간에 자신이 아닌 다른 누군가가 있음을 실감했다. 엇박자로 들리는 태주의 숨소리에 맞춰 숨을 쉬었다. 그리고 살짝씩 뒤척이는 소리가 들리지 않자 성연은 깊게 한숨을 내쉬었다. 쉽사리 잠이 오지 않았다. LED 시계가 희미하게 빛을 발했다. 세 시가 넘은 시각이었다. 평소 성연의 기상 시간은 다섯 시 정도였다.

너 자고 있니?

누운 지 얼마나 지났을까. 태주가 대뜸 또렷한 목소리로 물었다.

어 아니요.

성연의 대답을 들은 태주는 답이 없었다. 성연은 진짜예요–라고 덧붙이려다 말았다.

그럼 나 이불 하나만 더 꺼내주면 안 될까. 춥진 않은데 더웠으면 좋겠어.

성연이 몸을 일으켜 안쪽으로 자리를 옮겼다.

내 옆으로 와요. 이불 더 없어요.

그러자 어둠 속에서 커다란 덩어리 하나가 이불을 끌어안고 다가왔다. 약한 빛이 태주의 옆얼굴을 흐릿하게 비췄고 성연은 그 모습이 어린아이 같다고 생각했다. 태주가 침대에 누워 이불을 덮자 성연은 그 위로 제 이불을 나누어 덮어주었다. 태주를 등지는 쪽으로 몸을 돌리자 이불이 살짝씩 밀려났다.

동방 진짜 더웠는데 거기서도 잘 자던 이유가 있었네요.

따뜻하면 잠이 잘 오잖아.

성연이 기억하기로 태주는 잠을 잘 잤다. 어디에서든 잘 수 있게 세면도구나 여벌 옷은 물론이고 하다못해 드라이기까지 들고 다녔다. 그러니까 그는 몸으로 살아가는 사람이었다. 꼭 하루살이처럼 자신에게 주어진 수명을 날마다 충실히 사용하면서. 어쩌면 운이 아주 좋은 게 전부일지도 몰랐다. 온전히 오늘에만 집중할 수 있는 환경에 놓이는 건 쉽지 않았으니까. 아프지 않고 건강하게. 언제까지 영화를 찍을 수 있겠냐는 후배의 한탄에 태주는 일하면 된다고 답했다. 그럼 영화는 일이 아닌가요? 당연하지. 돈은 그냥 대한민국에서 살아갈 때 응당 필요한 건데 뭐. 필요한 만큼만 얻으면 되지. 그냥 일만으로 내 삶이 돌아가는 건 조금 슬프잖니.

그래서일까. 성연은 딱 한 번 태주의 자취방에 간 적이 있었다. 학교 뒤편에 지어진 오피스텔촌이었는데 집의 상태가 꽤 좋았음에도 태주는 자꾸만 밖으로 나돌아다녔다. 부모님이 얻어주신 집이라던 그는 먼지가 쌓인 아일랜드 식탁을 대충 닦고는 포장해 온 길거리 떡볶이를 꺼내놓았다. 나도 거의 두 달 만에 왔어. 엉겨 붙은 떡을 한입에 넣은 뒤 집안을 이리저리 둘러보는 모습을 보며 성연은 처음으로 태주를 멀게 느꼈다. 왠지 이 모습 그대로 태어나서 앞으로도 쭉 이렇게 살 것만 같다고. 그의 과거나 미래가 전혀 상상이 가지 않았다. 단순히 그를 잘 알지 못하기 때문만이 아니라 쭉 이해하지도 못할 거라는 묘한 확신 때문이기도 했다.

태주가 규칙적으로 숨을 내쉬기 시작하자 성연은 다시 천장을 바라보고 누웠다. 어둠에 눈이 익숙해진 탓에 잠이 잘 오지 않았다. 잠시 후 태주가 발로 성연의 종아리를 톡톡 쳤다. 와닿는 감각이 차가워 성연이 살짝 움츠렸고 태주는 나지막이 속삭였다.

아침 바다 보러 갈래?

"새로 바꾸고 싶기도 했어요."

경서가 갈색 상자를 끌어안고는 또박또박 대꾸했다. 상자 안에는 부서진 캠코더가 들어 있었다. 목소리만 들었을 때는 괜찮은 듯싶었지만, 경서의 눈에는 핏발이 서 있었고 약간 피곤해 보였다. 태주는 경서의 옆에 털썩 주저앉았다. 둘은 이십 분 전, 터, 그러니까 동리의 나무 앞에서 만났다. 태주는 자전거를 보고 어젯밤 만났던 아이임을 깨달았다. 그는 자신을 성연의 친구라고 소개했고 이것저것 떠들어 대기 시작했다. 동리의 담장이 아름답다는 둥, 하루 새 바다 냄새가 익숙해졌다는 둥. 그리고 영화 로케를 탐색할 겸 이곳에 왔다고 말하고 나서야 경서는 태주에게 시선을 주었다. 그럼 대학 친구겠네요. 태주가 고개를 끄덕였다. 그래도 걔가 영화 얘기 같은 걸 안 하지는 않나 봐요. 그러자 경서는 어깨를 으쓱이며 어쩌다 보니 알게 되었어요- 하고 말을 맺었다.

"그래도 아예 못 쓰게 됐는걸요."

태주는 어쩌다가 부서지고 만 것인지 조심스럽게 물었고 경서는 친구와 다투었다는 간략한 답을 주었다. 어제, 하교하고 난 뒤 시내에 나가 현상소에 들리려던 경서의 계획은 필름 카메라를 깜박 들고 오지 않아 무산되었다. 그 사실을 알게 된 A는 함께 시내에 나가 놀자고 경서를 졸랐으나 경서는 고개를 저었다. 하하 호호 웃으면서 놀고 싶은 기분이 아니라는 이유였다. 그 말을 들은 A는 눈물을 뚝뚝 흘리기 시작했다.

너는 나를 친구로 생각하기나 하는 거야? 나한테 관심 없잖아. 친군데 한 번도 내 모습 찍어준 적 없었잖아. A는 연거푸 숨을 몰아쉬었다. 경서는 그런 A를 힐끗 살필 뿐이었다. 얼굴을 벅벅 문지르던 A가 무슨 말이라도 해보라고 외쳤고 경서는 캠코더를 만지작거리며 아무 말도 하지 않았다. 친구가 일종의 습관으로 전락한 순간을 마주하는 것을, 어쩌면 A가 아니라 경서 자신이 피해 왔을 수도 있겠다는 생각이 들어서였다. A의 말에는 틀린 구석이 없었다. A는 다시 눈물을 흘렸고 이내 경서를 툭 스치고 지나갔다. 그리고 끝까지 뒤를 돌아보지 않았으므로 그 바람에 경서가 캠코더, A 자신이 담기길 원했던 그 캠코더를 떨어뜨렸고 다시는 불빛이 들어오지 못하게 되었다는 사실도 알 턱이 없었다.

경서는 태주에게 감정적으로 이야기하지 않았다. 누가 더 잘못했고 덜 잘못했는지 따지는 건…… 다만 A를 영상에 담아주지 않은 자신이 그렇게 잘못한 건가 싶은 혼란에 빠져 있었다. 찍고 싶은 것을 찍는 게 영화 아니었던가. 그렇게 동리로 돌아와 동리의 나무 앞에서 한참을 고민하다가 집으로 돌아가는 길에 성연과 태주를 마주친 것이었다. 경서의 이야기를 다 들은 태주가 캠코더가 든 상자를 달라는 듯 손짓했다. 다시 보아도 낡고 오래되어 고쳐서 쓰기는 힘들어 보였다.

"눈으로 보는 것을 찍지만 또 달라요, 영상으로 보면."

"다르다고요?"

"흥미롭지 않아 보이는 것에서도 무언갈 발견할 수 있다는 말이에요."

일순간 찬 바람이 불었다. 마른 나뭇가지처럼 보이는 것들이 빙빙 돌며 동리의 나무를 점점 가깝게 둘러쌌다. 경서가 코를 훌쩍이며 고개를 끄덕였다.

바람이 멈추자 추위가 가셨다. "동리 날씨는 참 오묘하네요." 태주가 중얼거렸다. 노인들이 말했던 이상하게도 따뜻한 날이 어제서부터 오늘까지 이어지는 듯싶어서였다. 성연과 함께 이른 아침 집에서 나왔을 때도 그러했다.

몇 시간 전, 성연과 태주는 옷을 껴입고 집을 나섰다. 저 멀리서 동이 트는 것이 보여 일출은 놓쳤다 싶었으나 서두르지는 않았다. 이번에는 성연의 차에 탔고 성연은 본인이 자주 들리곤 했던 인적이 적은 작은 해변으로 태주를 데려갔다. 도착할 무렵 해는 수평선 위로 살짝 올라와 있었다. 태주는 양말과 신발을 벗어 던졌다.

지금 서핑 가르쳐 주면 안 되나.

트렁크에 보드는 있는데 얼어 죽고 싶지는 않아요.

태주가 밀려오는 바닷물에 발을 담그자 성연은 인상을 찌푸렸다. 태주는 종아리까지 바짓단을 접어 올린 뒤 조금씩 바다에 가까이 다가갔다. 파도는 일정한 규칙으로 태주의 다리에 부딪혔다. 그러다가 저 멀리서부터 큰 파도가 몰려왔고 태주는 뒷걸음치기 시작했다. 조심해요. 성연이 외치는 동시에 태주가 비틀거렸다. 잠시 후 그는 축축해진 엉덩이를 부여잡고 킬킬대며 파도 밖으로 빠져나왔다.

둘은 모래사장에 앉아 태주의 바지가 마르기를 기다렸다.

여기에 다시 올 거야. 영화 찍으러. 나무를 배경으로 할 거야.

성연은 태주의 시나리오를 들으며 고개를 끄덕였다. 동리의 나무와 어린아이 그리고 이방인. 아이의 삶이 어떻게 이루어져 갈지 태주는 자신 또한 짐작할 수 없다고 말했다. 하지만 정해야겠지. 성연은 그의 말을 들으며 영배 씨를 두고 바다로 돌아간 보육원 교사를 떠올렸고 스스로 놀랐다. 상대역 배우를 생각한 게 아니라 정말 물고기가 되어 떠나버린 존재가 제 옆에 있는 듯싶어서였다. 성연이 눈가를 꾹꾹 눌렀다. 일정대로면 태주가 영화를 찍으러 올 즈음 그는 서핑 강습을 진행하는 데에 여념이 없을 것이다. 현장을 구경하러 가는 정도의 시간은 있을지도 몰랐다. 이미 달라진 건 많았고 앞으로 달라질 건 없었다. 분명 그랬다. 분명……

파도가 세 번 정도 지나갔을 즈음 태주는 성연을 바라보았다.

나랑 영화 찍을래?

성연과 태주의 시선이 마주쳤다. 성연이 눈을 껌뻑였다. 멀리서 누군가 흐느끼는 소리가 들려오는 것만 같았다. 그건 아기 울음소리 같기도 목소리를 잃은 자가 내는 쉿소리 같기도 했다.

쿠키 영상

드넓은 터와 커다란 나무의 이미지는 오래 담고 있던 장면 중 하나이다. 바람이 불고 소금기가 느껴지는 생경한 감각들. 다만 어떤 이야기가 출발할 수 있을지 고민해 온 시간이 길다. 외롭다는 감정에 너무 집중하다 보니 되려 이야기를 삭제하고 있었던 것만 같다. 누가 심은 나무일까. 누가 이 나무 앞을 지나다녔고 지나다니며 지나다닐까. 그러던 중 이번 겨울 우연히 시 한 편을 읽었고 비로소 장면이 움직이기 시작했다. (전문을 넣고 싶은 마음이 크지만 가장 기억에 남는 부분을 첨부한다)

이 오역의 표기법을 버리면 나는 아무것도 할 말이 없는데[2]

나는 시를 쓰는 사람은 아니나 자주 읽는다. 시를 읽을 때는 내 속에 언어가 차오르지 않기 때문이다. 이해하려고 들지 않을 수 있다는 것. 모든 인풋을 말로 치환하려는 버릇을 가진 내게는 귀한 시간이다.

---

2   김선재, 『얼룩의 탄생』, 문학과 지성사, 2012, 39p

언어란 무엇일까. 사실 우리가 그저 같은 문자를 공유하고 있다는 사실만이 그 전부일지도 모른다. 매번 서로를 오역하기에 공존할 수 있는 것이다. 공간을 공유하고 내어주기도 하면서 마음속의 ㅇ을 가끔 ㅎ으로 꺼내야 할 때를 고민해 보는 일이다. 그럴 때 보통 상대방은 ㅎ으로 알아듣기도 하나 가끔 놀랍게도 ㅇ으로 받아들이기도 한다.

해서 다른 세계를 공감할 수 있는 글은 없다. 그저 개인적인 글만 있을 뿐이다. 혹 얇은 것과 두꺼운 것은 다른 것이 아니라 같은 것임을, 얇아졌다가 두꺼워졌다가 어느 순간 같은 두께로 맞닥뜨릴 때 손을 내밀지 혹은 팔을 벌릴지는 알 수 없는 일이니.

태주와 성연, 경서 그리고 동리의 노인들도 그러하다. 지키려는 사람이 있다면 변화하려는 사람이 있다. 서로를 완전히 알지도 못하며, 이해하려 열과 성을 다해 노력하지도 않으나 그들은 시절의 짧은 한순간 동안 동리라는 땅에 발을 붙이게 된다. 태주에게 동리는 아름다운 마을이며 동리의 노인들에게는 일종의 뿌리이다. 반면 성연에게는 회피와 도전이라는 양면성을 가진 개척지이고 경서에게는 떠나야 할 여행지와도 같다. 모두 각자의 시기를 동리에 빗대어 이야기하는 것이다. 결국 이들은 다르지만 동시에 또 다르지 않다. 동리의 노인들도 태주와 성연, 그리고 경서였다는 사실을, 그리고 동리의 나무만이 아주 서서히 늙어가며 모든 순간들을 목도하고 끌어당기고 있음을 느끼게 되는 때 어쩌면 성연은 다시 영화를 찍을지도 모르겠다.

쿠키 영상은 작가의 말

ⓒ 김윤아 소예진 유지원 윤채연 이서연 이채린 정가을

발행일	2023년 08월 09일
지은이	김윤아 소예진 유지원 윤채연 이서연 이채린 정가을
편집	소예진 이서연
표지 디자인	임현서
내지 디자인	장혜림
주최	한국출판문화산업진흥원
주관	문화체육관광부
발행처	인디펍
발행인	민승원
출판등록	2019년 01월 28일 제2019-8호
전자우편	cs@indipeub.kr
대표전화	070-8848-8004
팩스	0333-3444-7982
정가	14,000원
ISBN	979-11-6756320-0 (03810)